Cancer des ovaires

Données de catalogage avant publication (Canada)

Sims, Diane

    Cancer des ovaires : votre compagnon d'espoir

    Traduction de : An ovarian cancer companion.
    Comprend des réf. bibliogr.

    ISBN 2-89225-552-X

1. Ovaires - Cancer - Ouvrages de vulgarisation. 2. Ovaires - Cancer - Patients. 3. Ovaires - Cancer - Diagnostic. 4. Ovaires - Cancer - Traitement. I. Titre.

RC280.O8S5414 2004   616.99'465   C2004-940353-2

Cet ouvrage a été publié en langue anglaise sous le titre original :
AN OVARIAN CANCER COMPANION
Published by General Store Publishing House
Box 28, 1694-B Burnstown Road
Burnstown, Ontario, Canada KOJ 1GO
Tél. : (613) 432-7697 ou 1-800-465-6072
www.gsph.com

Dépôts légaux : 1er trimestre 2004
Bibliothèque nationale du Québec
Bibliothèque nationale du Canada
Bibliothèque nationale de France

Conception graphique originale de la couverture :
TARA YOURTH
Montage de la couverture française :
OLIVIER LASSER
Version française :
JOCELYNE ROY
Photocomposition et mise en pages :
OLIVIER LASSER

ISBN 2-89225-552-X
(Édition originale : ISBN 1-894263-83-9, General Store Publishing House, Burnstown, Ontario)

Nous reconnaissons l'aide financière du gouvernement du Canada par l'entremise du Programme d'Aide au Développement de l'Industrie de l'Édition pour nos activités d'édition (PADIÉ).

Imprimé au Canada

DIANE SIMS

Cancer des ovaires

VOTRE COMPAGNON D'ESPOIR

Les éditions Un monde différent ltée
3925, Grande-Allée
Saint-Hubert (Québec)
Canada J4T 2V8
(450) 656-2660

www.umd.ca
info@umd.ca

DÉDICACE

Pour Karen... ma sœur... *et pour toutes mes autres sœurs qui souffrent d'un cancer, Edy, Martha, Dianne, Irene, Sandi, Karoline, Nuala, Cheryl, Nancy, Liz, Louise, Jean, Corinne, Marie, tantes Ruth et Astrid, Angie (ma première sœur survivante de Sudbury), et beaucoup, beaucoup d'autres... et à toutes ces femmes merveilleuses qui ont pris un peu de leur précieux temps pour m'écrire... Merci.*

Et aussi pour Cathy... *Tu me manques déjà.*

« Ma sœur sera un ange au service de Dieu . . »[1]

---

1. William Shakespeare, *Hamlet V, I*, 205, *Œuvres complètes*, édition bilingue, Éditions Robert Laffont, Paris, 1995, p. 1033.

Table des matières

Avant-propos

*Q*uand on parle de soins axés sur le patient, on ne pense pas uniquement aux soins prodigués dans le but de traiter la maladie, mais aussi à ceux qu'on donne aux malades. Bien que ces deux approches soient étroitement liées, il arrive que l'on traite la maladie en ne portant pas suffisamment d'attention au patient.

Prodiguer des soins axés sur le patient, c'est l'informer et l'encourager à participer à la prise de décisions dans l'élaboration de son programme thérapeutique.

Les soins axés sur le patient exigent également que l'on s'enquière de leurs croyances, de leurs préoccupations et de leurs attentes, et que l'on tienne compte de facteurs tels que l'âge, le sexe, le degré d'instruction et les antécédents ethnoculturels et économiques du patient.

Toutes ces données jouent un rôle particulièrement important dans l'aide que l'on peut apporter aux personnes qui souffrent d'une maladie chronique telle que le cancer.

Depuis quelques années, on a vu émerger un nouvel outil d'une valeur inestimable dans le but d'aider les personnes atteintes d'un cancer à affronter la maladie. Ces programmes de soutien par les pairs, dans lesquels des patients atteints d'un cancer en particulier se soutiennent l'un l'autre en partageant leur expérience en matière de dépistage, de diagnostic et de traitement de leur maladie.

Cette nouvelle tendance est merveilleusement bien illustrée dans le présent ouvrage consacré au cancer des ovaires. Vous y trouverez des témoignages poignants de femmes touchées par le cancer ovarien et de membres du personnel soignant qui racontent leur périple devant cette maladie tant redoutée. L'ouvrage est également parsemé d'information sur les manifestations de la maladie, son diagnostic, son traitement et ses pronostics.

Le premier de ces témoignages est celui d'Edwina Smith, qui a bravement lutté contre le cancer ovarien pendant 7 ans avant de mourir en mars 2000. La première phrase de son récit est éloquente : « Vivre avec le cancer des ovaires, c'est comme traverser un torrent aux eaux profondes et agitées en sautant d'une pierre à l'autre. »

JACK LAIDLAW, M.D.
Mars 2003

REMERCIEMENTS

P rès de 100 personnes des deux sexes ont contribué à la rédaction de cet ouvrage. Je n'ai pas pu utiliser l'ensemble du matériel fourni, mais les témoignages que j'ai mis de côté seront transmis à la *National Ovarian Cancer Association* (NOCA) qui les publiera sur son site Web.

Après avoir reçu l'approbation pour la création de ce projet, j'ai eu plusieurs problèmes de santé et traumatismes personnels. Je tiens à souligner le soutien que m'ont apporté le personnel et le conseil d'administration de la *NOCA*. Je ne vous remercierai jamais assez. Vous méritez des applaudissements – et c'est avec beaucoup de reconnaissance que je joins les mains pour vous acclamer !

Je remercie du fond du cœur l'ensemble du personnel de la *NOCA*, et plus particulièrement les membres du conseil d'administration pour avoir cru en moi et en ce projet ; la directrice générale, Elisabeth Ross, pour m'avoir épaulée pendant les périodes difficiles ; la directrice du développement, Fenella Townsend, pour m'avoir toujours permis de pleurer sur son épaule ; l'agente d'information et survivante du cancer ovarien, Moira Lambertus, pour avoir rédigé les sections traitant de la fatigue, du stress, et des connaissances actuelles sur le cancer. Merci.

Du point de vue professionnel, mes remerciements vont à Jane Karchmar, la plus charmante éditrice avec laquelle il m'a été donné de travailler. Jane a répondu sans broncher à mes courriels et à mes appels téléphoniques, très tôt le matin ou très tard le soir. Elle est un trésor. Merci à la *General Store Publishing House* pour avoir confié la gestion de ce projet à Jane. Chez *General Store*, je veux également remercier Tim Gordon pour l'inépuisable patience dont il a fait preuve lorsque je l'appelais pour lui raconter mes derniers déboires; Rosemary Kenopic pour m'avoir aidée à respecter un échéancier aussi serré; et Alice Ching-Chew pour ses talents de correctrice d'épreuves. Merci au photographe Chris Samson pour la photo qu'il a faite de moi.

Sur le plan personnel, je remercie chaleureusement Robert Roth, mon ex-mari, qui m'a rappelé (et qui continue à me rappeler) où, quand et comment j'ai entrepris la rédaction de ce manuscrit et qui m'a convaincue que je pouvais le terminer; David Wadley, un excellent musicien et un ami très cher qui me fait don de son amitié depuis 40 ans; Marla Fletcher, ma rédactrice, ma sœur et mon amie, et Cindy Howard, mon âme sœur, qui toutes deux croyaient fermement que j'arriverais à mettre un point final à cet ouvrage.

Je remercie aussi beaucoup mes amis de toujours, Judith et Ken Robertson, Yvonne Yoerger et Bern Murphy, qui m'ont permis de prendre des vacances et de méditer dans les îles du Golfe en Colombie-Britannique, ainsi que dans le Sud de l'Angleterre. Ces escapades m'ont permis de «me» retrouver. Enfin, je ne peux terminer sans remercier mes cousins, Bob Allen et Ed Welker, pour m'avoir si généreusement aidée. Tout au long de ce projet, ils m'ont gentiment rappelé ma mère, Ev Samson Sims, et ma tante, Helen Samson Allen.

Ma gratitude à l'égard des professionnels de la santé est infinie. Parmi les infirmières et les médecins qui m'ont rendu la vie plus facile au cours des dernières années à Stratford, en Ontario, je tiens à remercier le D^{re} Sean Blaine, ma très chère omnipraticienne, le Dr Angus Maciver, mon «nouveau chirurgien préféré»; June, Danielle, Ruthanne, Joan, Shanna et une autre Joan de, mon équipe d'infirmières; Marg, ma travailleuse de soutien personnelle; ainsi que le service d'urgence et le personnel du 3e étage du *Stratford General Hospital*. Tous m'ont permis de continuer à avancer.

Pour leur soutien spirituel, merci à Lykke, Louise, Brenda, Grace et, comme toujours, à mon autre «sœur», Ruthmarie.

Finalement, ce livre n'aurait pas vu voir le jour sans le colossal travail de révision du Dr Denny De Petrillo. Il l'a fait dans un délai extrêmement court, et je n'exagère pas ! Un grand nombre de gens lui doivent beaucoup et je me joins à eux pour dire qu'il est indéniablement un « cher médecin ».[2]

La publication de ce livre a été rendue possible grâce à une subvention sans restrictions de GlaxoSmithKline Inc. *et à un don de la* J.P. Bickell Foundation.

2. (Épître aux Colossiens 4,14), *La Bible de Jérusalem.*

«Je ne suis qu'une seule personne mais, malgré tout, je suis quelqu'un. Je ne peux pas tout faire mais, malgré tout, je peux faire quelque chose et parce que je ne peux pas tout faire, je ne refuserai pas de faire ce que je peux faire.»

HELEN KELLER

INTRODUCTION

Le cancer des ovaires : sa seule mention évoque la crainte et le mystère. Et à dire vrai, cette crainte qu'il inspire est fort justifiée et son mystère demeure encore insondable.

Drapé du voile de l'anonymat, le cancer des ovaires est souvent appelé «la maladie qui murmure». Comme un bruissement dans une salle de théâtre plongée dans l'obscurité, le cancer des ovaires est pratiquement indécelable dans sa phase embryonnaire. Laissé à lui-même, il se développe et se propage silencieusement à l'intérieur de la cavité pelvienne de la femme. Ce «cancer féminin» excelle dans l'art de passer inaperçu, déjouant même la vigilance de nos médecins – et la nôtre. Mais plus précoce est le diagnostic, meilleur est le pronostic. Plus de 90 % des femmes ayant reçu ce diagnostic au premier stade de la maladie sont encore vivantes 5 ans plus tard. Cependant ce pourcentage décroît si la maladie est détectée à des stades plus avancés.

Il est temps de percer le mystère et de renseigner les femmes et les omnipraticiens sur les symptômes et les signes de ce mal pernicieux. Qui peut le mieux exposer la vérité pure et simple à propos du cancer ovarien que des patientes, des survivantes, et aussi leurs proches? La recherche a démontré que l'acquisition de connaissances est renforcée par le témoignage de gens qui ont traversé les mêmes épreuves.

Les faits bruts sont sinistres : les statistiques de survie ont à peine changé depuis 50 ans. En 2003, plus de 2 600 Canadiennes ont reçu un diagnostic de cancer des ovaires et environ 1 500 de ces mères, sœurs, filles, amies, femmes et amantes sont décédées. Multipliez ce chiffre par 10 pour avoir une idée de la situation aux États-Unis. Le cancer des ovaires est le plus meurtrier des cancers gynécologiques.

Tout comme les statistiques, les principaux traitements n'ont pas changé : ils se résument à la chirurgie visant à retirer la plus grande partie possible de la tumeur, et ensuite à la chimiothérapie et/ou la radiothérapie.

Cependant, de nouveaux médicaments ont fait leur apparition au cours des dernières années, et un grand nombre d'entre nous avons tiré profit des vertus thérapeutiques d'un traitement axé sur une approche holistique. Cette dernière est fondée sur un solide soutien de la part de la famille et des amis, une nutrition saine, des activités positives telles que la lecture, la musique et le cinéma maison, ainsi que de ce qu'une survivante appelle le « travail spirituel individuel ».

La clé de la survie demeure le dépistage précoce de la maladie. Malheureusement, cela ne se produit que dans 30 % des cas. Au moment du diagnostic, la majorité des tumeurs se sont propagées dans toute la cavité pelvienne ou au-delà. Les signes et les symptômes du cancer des ovaires sont vagues et ressemblent à ceux qui accompagnent d'autres troubles abdominaux, intestinaux ou menstruels. La maladie peut donc passer inaperçue pendant des mois, voire des années.

Il nous faut un outil de dépistage précoce, actuellement au stade de la recherche, si nous voulons défier le cancer des ovaires. Et il nous faut également mieux définir le cancer ovarien auprès des femmes et des médecins de famille afin d'accroître de façon significative les fonds consacrés à la recherche et à l'éducation.

Edwina Smith, d'Ottawa, en Ontario, a courageusement lutté contre cette maladie pendant 7 ans avant de mourir en mars 2000. Voici une touchante description de son parcours, un cri du cœur pour l'avancement de la recherche, de meilleures connaissances et toujours plus d'espoir.

Vivre avec le cancer des ovaires, c'est comme traverser un torrent aux eaux profondes et tumultueuses en sautant d'une pierre à l'autre. Alors que le premier pas se fait sur une grande pierre plate – c'est la chirurgie et la chimiothérapie qui suivent habituellement le premier diagnostic de cancer ovarien. C'est une pierre sûre, solide et bien ancrée car on connaît bien ce traitement – après tout, on l'utilise depuis 30 ans.

Mais comme la majorité des femmes, j'ai fait une rechute, et j'ai dû effectuer un saut terrifiant jusqu'à la deuxième pierre, qui est un peu plus petite, un peu moins bien ancrée – peut-être davantage de chimiothérapie avec une greffe de moelle osseuse; c'est une pierre sur laquelle il n'est pas aisé de conserver son équilibre. Et ça continue, aussi longtemps que l'on peut tenir le coup.

Parfois, il est difficile de déterminer sur quelle pierre sauter, parce qu'une fois le mouvement amorcé, il est souvent impossible de revenir en arrière. Devrais-je entreprendre un autre traitement de chimio? Lequel? Devrais-je participer à un essai clinique? Lequel?

Mais le plus important, c'est que celles d'entre nous qui souffrons d'un cancer des ovaires nous retrouvons très très rapidement à cours de pierres solides sur lesquelles nous tenir. Et chaque nouvelle pierre est plus difficile à atteindre et de plus en plus glissante – elle est couverte de mousse, plus instable que la précédente et se trouve encore plus loin dans les eaux agitées du torrent. Parfois, nous sommes trop fatiguées ou trop faibles pour sauter jusqu'à la pierre suivante, même si nous pouvons la voir et si nous savons comment y parvenir.

Je n'ai pas fait cette traversée en solitaire. J'ai reçu des soins et un soutien incroyables de la part de mes médecins et du personnel du centre de traitement du cancer, ainsi que l'amour indéfectible de ma famille et de mes amis. Mais ma position est vraiment très précaire alors que je me tiens debout sur la dernière pierre. Je suis entourée d'excellents médecins, mais nous ne savons plus quelle direction prendre. Parce que nous n'en savons tout simplement pas assez sur le cancer ovarien.

Sans la recherche et sans argent pour financer la recherche, sans le travail qui devra être effectué pour traduire cette recherche en orientations thérapeutiques, il n'y a plus de pierres dans le torrent qui nous permettent d'avancer davantage… Tous ceux qui y travaillent… nous donnent l'arme la plus puissante que nous puissions avoir, c'est-à-dire l'espoir. En ce qui me concerne, cela consolide l'espoir qui m'a permis de rester si longtemps debout, et qui a aussi soutenu ma famille. Nous n'avons pas perdu de temps à nourrir de petits espoirs, car ils étaient tous très grands. C'est l'espoir de traverser le torrent dans toute sa largeur et de poser le pied sur l'autre rive, là où la vie jusqu'à un âge avancé existe. C'est l'espoir que l'on découvre des traitements qui ne nous rendent pas aussi désespérément malades.

Et ce que j'espère par-dessus tout, c'est un monde dans lequel la prévention et le dépistage précoce seront à ce point efficaces que mes merveilleuses nièces n'auront jamais, au grand jamais, à traverser ce que j'ai traversé, un monde dans lequel filles, sœurs, épouses et amies n'auront jamais à connaître la souffrance que connaissent les femmes touchées par le cancer des ovaires.

En lisant cet ouvrage, je vous prie de réfléchir aux propos de ces femmes et de ces hommes qui ont décrit comment ils ont fait face au cancer des ovaires, physiquement, émotionnellement et spirituel-lement.

Certains passages ne sont pas agréables à lire. Certains autres, je l'espère, vous rendront furieux devant le peu d'intérêt qu'a suscité le cancer ovarien au sein de la communauté scientifique, et ce, pendant de nombreuses années. Vous ne serez sans doute pas toujours d'accord avec ces propos, et c'est pourquoi je vous demande de com-prendre que chacun a le droit d'exprimer toutes ses peurs et tous ses sentiments.

Un très grand nombre des personnes extraordinaires dont vous ferez la connaissance dans cet ouvrage sauront vous encourager et enrichir votre vie. Laissez-les vous raconter leur histoire. Alors que certaines d'entre elles ne m'ont soumis que quelques paragraphes, d'autres m'ont envoyé des pages entières de texte. Ceci est leur livre – et le vôtre – et j'ai à peine modifié ces témoignages afin de préserver l'intégrité des propos de leurs auteurs.

Vous ne pourrez que constater que ces femmes et leur famille sont très bien renseignées sur le cancer des ovaires. Elles ont dû apprendre à se débrouiller avec la terminologie médicale, et c'est pourquoi leurs textes sont truffés de termes spécialisés. Un glossaire de ces termes se trouve à l'annexe B.

Ceci n'est pas un ouvrage médical – vous devriez consulter votre médecin de famille pour toute question relative au cancer des ovaires. La bibliographie qui se trouve à la fin de ce livre fournit une liste d'ouvrages médicaux et de documentation sur le cancer.

Je suis moi-même une survivante du cancer des ovaires – mais ceci n'est pas mon histoire. C'est plutôt celle de femmes de partout dans le monde qui sont en quelque sorte mes sœurs. Certaines sont encore vivantes, certaines sont décédées. Je fais partie de celles qui ont eu beaucoup de chance – mon cancer a été détecté avant qu'il ne se propage au-delà des ovaires. J'écris c'est mots avec le cœur rempli d'amour pour mes sœurs survivantes – Martha, Nancy, Liz, Angie, Cheryl, Irene… Mais c'est aussi avec beaucoup de chagrin que je pense à celles que j'ai perdues – Edwina, Nuala, Donna, Judy, Debbie…

Si vous êtes une femme en bonne santé, je vous conseille vivement d'en apprendre le plus possible sur le cancer des ovaires. Tirez profit des leçons que vous enseignent ici vos sœurs.

Premièrement, vous êtes responsable de votre santé : ne négligez pas cette tâche sous prétexte que votre médecin sait exactement ce qui vous arrive. L'avant-propos du Dr Jack Laidlaw, ancien directeur de l'éducation de l'organisme *Cancercare Ontario*, vous donne une perspective médicale du sujet.

Deuxièmement, mieux vous serez informée, mieux vous pourrez aider votre médecin à reconnaître les symptômes de la maladie.

J'espère que, comme moi, vous serez scandalisée par le fait que tant de belles femmes meurent parce que ce tueur silencieux n'a pas été détecté à temps, et que vous aurez le désir de contribuer à l'augmentation du financement de la recherche afin d'éradiquer cette terrible maladie qu'est le cancer ovarien.

Si vous êtes atteinte d'un cancer des ovaires ou en êtes une survivante, j'espère que vous trouverez un certain réconfort en sachant que d'autres vous accompagnent, dans l'espoir, la colère, et la paix.

Si vous êtes une amie ou un membre de la famille, j'espère que certaines des suggestions offertes par d'autres vous aideront à exprimer votre douleur, votre chagrin, votre compassion et votre amour.

La rédaction de ce livre a été un travail d'amour, à la fois mortifiant et réjouissant. Cela a été un honneur pour moi que de travailler avec les mots de tant de femmes et d'hommes merveilleux. Merci de m'avoir offert cet extraordinaire privilège.

Soyez assurée que tous les bénéfices générés par la vente de cet ouvrage iront directement à la recherche et à l'éducation et seront gérés par la *National Ovarian Cancer Association*.[3]

Les témoignages ont été reproduits tels que soumis. Veuillez ne pas poser d'autodiagnostic ou entreprendre de traitement sans d'abord consulter votre médecin. Tout propos incorrectement cité relève de ma responsabilité et j'apporterai si nécessaire les corrections voulues dans une future édition de cet ouvrage.

DIANE SIMS
Stratford, Canada
Juin 2003

---

3. National Ovarian Cancer Association, 27 Park Rd., Toronto, Ontario, 1 877 413-7970 (voir l'Annexe A pour plus de détails).

Voici les faits

Demain, Kathy Boudoin sera opérée. Une échographie a révélé une assez grosse tumeur ovarienne. Elle est peut-être bénigne, mais ses médecins et elle craignent fort qu'elle soit maligne. Il y a deux mois, la vie semblait merveilleuse à cette mère de famille de 40 ans, infirmière dans l'État ensoleillé de la Floride. Mais elle a récemment consulté son médecin pour de vagues symptômes : douleurs à l'abdomen et dans le bas du dos, ballonnement, gaz, indigestion et quelques nausées. Elle pensait avoir attrapé un virus, mais son expérience en tant qu'infirmière lui avait mis la puce à l'oreille – pouvait-il s'agir d'un problème plus grave ? Elle écrit :

> *Il y a une semaine, ma vie était normale… j'allais travailler, je rentrais le soir auprès de ma famille, je vaquais à toutes les occupations de la vie quotidienne. Et puis il y a eu cette échographie pelvienne. J'avais l'impression que ma vessie – qui devait être pleine pour l'examen – allait éclater avant que le technicien n'ait terminé ! Il a quitté la pièce pour montrer la pellicule au radiologiste.*
>
> *Mon rendez-vous de suivi avait été fixé à deux semaines plus tard. Le radiologiste m'a dit qu'il m'appellerait probablement le lendemain. Mais le téléphone a sonné plus tard le jour même. À partir de cet instant, tout est allé très vite…*
>
> *On m'a donné un rendez-vous avec un gynécologue oncologue deux jours plus tard. Alors que j'étais assise dans la salle d'attente, la dénégation et la terreur absolue se bousculaient dans ma tête. J'avais l'impression de faire une balade cauchemardesque sur des montagnes russes. En entrant dans le cabinet du médecin, je me suis aussitôt sentie à l'aise. J'ai compris que c'était un médecin qui se préoccupait de ses patients.*

Ma peur s'est quelque peu dissipée après qu'il m'ait soigneusement expliqué les prochaines étapes et qu'il ait répondu à mes questions. Je ne sais pas comment j'aurais réagi s'il était entré en coup de vent dans la pièce, n'avait pas tenu compte de mes craintes et m'avait intimidée au point de me rendre muette et incapable de dire un mot. J'ai senti que j'avais beaucoup de chance.

L'échographie a révélé une masse kystique annexielle complexe à l'ovaire gauche, mesurant 12,6 par 7,9 par 12,1 cm. L'ovaire n'était même plus discernable à l'intérieur de cette structure. Je regardais le rapport et je vérifiais sans cesse le nom de la patiente. C'était bien le mien. Et après encore mille vérifications… il s'agissait toujours de moi. J'allais être opérée dans quelques jours. Le chirurgien pratiquerait une incision médiane, car si le kyste se révélait cancéreux, il devrait en préciser le stade évolutif et faire un prélèvement. Il m'a promis qu'il « regarderait chaque organe et vérifierait absolument tout ». Je passerais de quatre à six jours à l'hôpital et je devrais m'absenter du travail pendant quatre à six semaines – si tout allait bien.

Je suis infirmière et j'ai pris soin de patientes ayant subi la même intervention chirurgicale à de si nombreuses occasions que je ne les compte plus. Je connais les mots. Je connais les procédures. Je sais ce qu'il faut faire pendant la convalescence pour éviter la pneumonie ou les caillots. J'ai insisté des milliers de fois sur l'importance de la toux et d'une respiration profonde; de la marche pour éviter le ballonnement; des bruits intestinaux, de la clarté de l'urine, de la préparation intestinale, etc. La liste est longue. Cela devrait être automatique pour moi. Mais ça ne l'est pas. Le déni de la réalité rampe toujours dans mon esprit. Je n'ai pas encore pleinement réalisé ce qui m'arrive.

Dans quelques jours, je devrai faire le trajet d'une durée de 3 heures qui me conduira à l'hôpital. Je ne sais pas comment j'y arriverai. J'ai un fils de 10 ans et un mari que j'aime. Je ne suis pas prête à mourir. Il y a maintenant une tumeur monstrueuse là où se trouvait autrefois mon ovaire gauche, et pourtant la vie continue. Les horloges continuent de cliqueter. Les jours passent. Le travail ne cesse d'atterrir sur mon bureau. Tout autour de moi, les gens continuent de rire, de parler, de vivre. La vie continue. Aujourd'hui du moins, je peux encore me perdre dans la dénégation, le refus, et essayer de ne pas penser à la chirurgie, à la *douleur, et à toutes les affreuses possibilités qui m'attendent au lendemain de l'intervention. Aujourd'hui du moins, je me sens un peu plus en sécurité en me perdant dans l'inconnu.*

Je serai opérée à 7 heures du matin. Je vous en supplie, priez pour moi.

«*Le jour où j'ai crié, tu m'exauças,*

tu as accru la force de mon âme.»

(Les Psaumes 138, 3), *La Bible de Jérusalem*

Qu'est-ce que le cancer?

Le cancer apparaît lorsque les cellules de notre corps se multiplient de façon anarchique et endommagent des cellules saines.

La cellule cancéreuse use de divers subterfuges pour contourner les mécanismes de régulation qui sont responsables de la croissance normale, ordonnée et saine de nos cellules.

Pour bien comprendre le plan d'attaque du cancer, il faudra découvrir quels sont les soldats qui se chargent habituellement de garder nos cellules en rang – et décoder les astuces que certaines cellules utilisent pour s'échapper de cette infanterie. Si nous avions ces connaissances, nous saurions ce qui cause le cancer, et cela pourrait nous aider à trouver un moyen de le guérir ou de le prévenir.

Même si nous n'en sommes habituellement pas conscients, les cellules de presque toutes les parties de notre corps sont constamment occupées à se multiplier, remplaçant ainsi les cellules vieilles ou usées. Nos cheveux et nos ongles sont des zones de croissance cellulaire que nous pouvons facilement observer.

Nous perdons des millions de cellules chaque jour, par la peau, le tube digestif et même la voûte du palais. Elles doivent constamment être renouvelées. Ces cellules que nous perdons sont donc remplacées par de nouvelles cellules grâce à un mécanisme de croissance et de multiplication cellulaires. Si nous n'avions pas ce bataillon de nouvelles cellules pour s'amener au front, notre corps disparaîtrait littéralement en quelques jours seulement. Quand nous nous blessons, le même processus de régénération cellulaire est déclenché.

Par le biais d'une série de messages intercellulaires – que nous n'arrivons pas encore à décoder entièrement – cette armée de cellules tient habituellement l'ennemi en échec.

Mais le cancer sème la débandade dans l'armée et les soldats font alors des ravages. Sa croissance explosive se manifeste sur trois fronts :

• Les cellules cancéreuses se multiplient de façon anormale.

• Les cellules cancéreuses envahissent les frontières qui les séparent des autres tissus.

• Les cellules cancéreuses s'infiltrent dans les vaisseaux sanguins ou le système lymphatique et peuvent migrer vers d'autres parties du corps.

Qu'est-ce qu'un ovaire ?

L'histoire du cancer ovarien commence avec l'ovule.

L'ovaire est un organe complexe qui produit les ovules – les œufs – et qui fait partie de l'appareil reproducteur féminin. La femme a deux ovaires, situés de chaque côté de l'utérus. Chacun a la taille d'une amande non écalée. De plus, les ovaires produisent diverses hormones dont l'œstrogène, la progestérone et les androgènes. Les ovaires sont petits – d'une longueur d'environ 3,8 cm – et sont situés dans la cavité pelvienne (bassin). Les ovaires libèrent les ovules qui sont ensuite acheminés par les trompes de Fallope jusqu'à l'utérus, où ils s'implantent s'ils sont fertilisés. Le schéma de la page suivante est tiré d'une brochure de la NOCA et a été reproduit ici avec sa permission.[4]

4. *Ovarian Cancer in Canada : A Background Document for the Corinne Boyer Fund*, Ovarian Cancer Forum 99, 1999, p. 1.

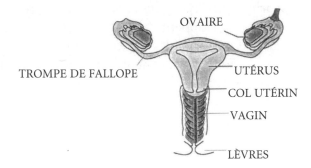

OVAIRE

TROMPE DE FALLOPE

UTÉRUS

COL UTÉRIN

VAGIN

LÈVRES

Au cours de chaque cycle menstruel, un groupe de follicules se développe dans l'ovaire et l'un des follicules finit par se démarquer. Il contient un ovule qui baigne dans un liquide riche en hormones. Au moment de l'ovulation, le follicule perce à la surface de l'ovaire et libère l'ovule.

L'enveloppe externe de l'ovaire est composée d'une unique couche de cellules épithéliales. Ces cellules jouent un rôle dans l'ensemble du processus d'ovulation : la rupture du follicule, l'ovulation et puis la réparation de la surface endommagée de l'ovaire.

C'est dans cette surface épithéliale active que le cancer ovarien apparaît le plus souvent. De 85 à 90 % des cancers ovariens prennent naissance dans les cellules épithéliales qui forment l'enveloppe externe de l'ovaire. Il existe cinq principaux types de tumeurs épithéliales (ou carcinomes) : *séreuses, mucineuses, endométrioïdes, à cellules claires* et *indifférenciées*. Ces cancers épithéliaux sont classés selon diverses catégories en fonction de la vitesse d'évolution des cellules malignes, qui est déterminée par un examen au microscope. Les tumeurs à faible degré de malignité, aussi appelées tumeurs à la limite de la malignité, sont *très bien différenciées* (stade 0) et représentent 15 % de tous les cancers épithéliaux. Dans les trois autres stades, les tumeurs sont *bien différenciées* (stade 1), *modérément différenciées* (stade 2) et *peu différenciées* (stade 3). Plus la tumeur est bien différenciée, plus le pronostic est favorable. Toutefois, le pronostic est moins bon lorsqu'il s'agit de tumeurs à cellules claires et, plus particulièrement, de tumeurs indifférenciées.

Les deux autres principaux types de cancer des ovaires – les tumeurs germinales, qui se développent dans les cellules de l'ovule, et les tumeurs du stroma, issues des cellules qui forment la charpente et la structure de l'ovaire – sont relativement rares et représentent moins de 10 % des tumeurs ovariennes.

Comment se propage le cancer?

Le cancer des ovaires se propage rapidement en disséminant des cellules cancéreuses dans la cavité abdominale. Leur migration est facilitée par le fait que les ovaires flottent dans la cavité abdominale. Ces cellules cancéreuses, qui atteignent fréquemment l'utérus, la vessie, l'intestin ou la paroi abdominale, peuvent donner naissance à des tumeurs secondaires avant même que l'on soupçonne l'existence de la tumeur primitive.

Le diaphragme se trouve parfois affecté, ce qui entrave le drainage des liquides de la cavité abdominale. Chez certaines femmes, cela se traduit par une ascite, c'est-à-dire une accumulation anormale de liquide dans l'abdomen qui peut, lorsqu'il s'agit d'un cancer ovarien, contenir des cellules cancéreuses. Il arrive que ces cellules franchissent les coupoles diaphragmatiques et se propagent à la surface des poumons et à la paroi thoracique. Le liquide peut ensuite s'accumuler dans la cavité pleurale.

Le cancer des ovaires peut également se propager dans les ganglions lymphatiques du bassin, de l'aorte, de l'aine et du cou.

Le pronostic est meilleur si le cancer est détecté et traité alors qu'il est encore localisé dans les ovaires. À ce stade, la guérison complète est possible grâce à la seule chirurgie, ou encore à la chirurgie associée à la chimiothérapie, à condition que la tumeur ait pu être entièrement retirée. Les récents progrès de la recherche portant sur les marqueurs moléculaires et génétiques permettent de mieux définir le stade du cancer et de choisir l'approche thérapeutique la plus appropriée. Bien entendu, il faut tenir compte des effets secondaires indésirables de la chimiothérapie et s'efforcer d'offrir à la patiente la meilleure qualité de vie possible.

Jan Horellou a reçu un diagnostic de cancer ovarien en avril 1995 et elle a finalement été emportée par la maladie. Shirley Inveen, qui réside dans l'État de Washington, m'a envoyé ce poème de Jan, qui parle de la qualité de vie que peut offrir la chimiothérapie.

Soliloque dans une salle d'attente

Les chiffres se bousculent dans ma tête.
Seront-ils en hausse, serai-je bientôt morte?
Y aura-t-il des aiguilles, des sondes nasogastriques?
Donnez-moi une potion magique.

Donnez-moi une pilule miracle.
Revenons en arrière, à l'époque où j'étais bien portante.
Jetez-moi un sort, permettez-moi d'espérer,
Je vous en prie, Seigneur, faites
que je ne perde pas mes cheveux.

Les chiffres se bousculent dans ma tête.
Tout nouveau bilan de santé est terrifiant.
Bonjour, docteur, donnez-moi les dernières nouvelles.
Devrais-je planter des roses, acheter
de nouvelles chaussures?

Donnez-moi les résultats, libérez-moi.
Enfermez cette bête qui m'importune.
Donnez-moi un peu de temps pour me retourner,
Un peu de temps pour rire, un peu d'espoir
auquel m'accrocher.

Une fois de plus, je pousse un soupir de soulagement.
Les chiffres ont parlé.
Une fois de plus, je danse mes danses,
Je chante mes chansons, et je tente ma chance.

«*Cette muette guerre entre roses et lys . .*»

William Shakespeare, *Le viol de Lucrèce*, V. 1. I. 71.

27

Les symptômes

Le cancer des ovaires est généralement «silencieux», c'est-à-dire qu'il ne présente que peu ou pas de signes révélateurs. Ses symptômes sont souvent méconnus et attribués par erreur à des problèmes de santé plus courants. Bien que certains cas soient diagnostiqués lors d'un examen gynécologique de routine, un grand nombre de femmes apprennent qu'elles sont atteintes d'un cancer ovarien alors que celui-ci se trouve déjà à un stade avancé.

Un cancer des ovaires évolué se manifeste souvent par une occlusion intestinale, une obstruction entraînant des nausées et des vomissements, des douleurs abdominales et une perte de poids.

Voici quelques-uns des symptômes du cancer des ovaires. Si plusieurs de ces signes se manifestent simultanément et s'étalent sur une période de deux ou trois semaines, une consultation médicale s'impose :

- sensation de lourdeur abdominale ;
- léger inconfort dans la partie inférieure de l'abdomen ;
- saignements vaginaux anormaux ;
- perte ou gain de poids inexpliqué ;
- cycles menstruels anormaux ;
- gonflement de l'abdomen ;
- signes gastro-intestinaux aspécifiques[5] (estomac/intestins) tels que ballonnement, gaz, indigestion, perte d'appétit, nausées et vomissements, sensation de satiété après un repas peu copieux ;
- envie d'uriner plus fréquente et/ou très soudaine.

Toutefois, il se peut qu'*aucun* symptôme ne se manifeste avant un stade avancé de la maladie. Malheureusement, comme chez tant d'autres femmes, le cancer des ovaires de Judi Pelleteri n'a pas été diagnostiqué avant ce stade avancé. Judi est une infirmière de 48 ans qui vit avec son mari, Ron, dans le New Hampshire. Elle raconte :

---

5. Se dit d'une infection qui n'est pas provoquée par un microorganisme spécifique.

Comme la majorité des femmes atteintes d'un cancer des ovaires, j'ai été victime d'une «attaque furtive». Les premiers symptômes étaient vagues et on pouvait facilement les attribuer à d'autres causes.

Malgré des visites régulières à mes gynécologue, urologue et médecin de famille, ce n'est que lorsque la production d'ascite est devenue alarmante qu'on a soupçonné un cancer des ovaires. On m'a alors fait subir une scanographie abdominale.

Deux semaines plus tard, j'ai été hospitalisée et opérée, et on m'a prescrit une série de 6 traitements à base de carboplatine/Taxol® (chimiothérapie). À cette époque-là, je ne me doutais pas que ce tourbillon d'événements marquerait le début du plus grand combat de ma vie – pour ma vie – et me propulserait dans un univers sombre et rempli d'incertitude. Comme la plupart des infirmières, je menais une vie saine et rangée, et comme il n'y avait aucun cas de cancer ovarien dans ma famille, il semblait peu probable que cela m'arrive. Aucun médecin n'arrivait à trouver une explication… je me sentais seule, effrayée, en colère et brutalement trahie.

Cependant, mon traitement chimiothérapeutique s'est bien déroulé et j'ai bientôt été en rémission. Les infirmières de la clinique m'ont serrée dans leurs bras et j'ai repris le cours normal de ma vie. «Cela a été si facile», se disait tout le monde, mais cette rapide transition de la «maladie» au «bien-être» me laissait une sensation de vide intérieur, comme si j'étais passée à côté de quelque chose en cours de route. Néanmoins, j'ai su saisir cette seconde chance qui m'était donnée et cela m'a permis de donner un nouveau sens aux notions d'engagement spirituel et de reconnaissance.

Alimentée par la foi et armée d'un bataillon d'outils d'auto-assistance recommandés par mon médecin – visualisation, relaxation, méditation, yoga, élimination du stress, massages complets et une variété d'autres remèdes «miracles» – j'ai recommencé à vivre, bien résolue à fortifier mon corps de manière à prévenir tout autre invasion de l'ennemi.

Malheureusement, ces nobles efforts ont été réduits à néant en octobre 2000 lorsque le cancer est réapparu. Les tristes réalités de cette

maladie devenaient finalement évidentes. Cela a été un coup terrible et je me suis bientôt retrouvée assise dans le même fauteuil de traitement que j'avais quitté 9 mois plus tôt. Je venais d'amorcer ma véritable promenade dans les montagnes russes. Je me demandais lesquelles de mes compagnes de chimio seraient encore là. Mais j'avais peur de poser la question. «Ceci est ma vie, jusqu'au jour où je mourrai», ai-je pensé. Je me suis résignée à vivre au jour le jour et selon ce principe que j'avais si souvent entendu – mais sans jamais vraiment le comprendre – « ne vous noyez pas dans un verre d'eau ».

Alors que j'écris ces lignes, je suis toujours en chimiothérapie... L'homme que j'ai épousé il y a 32 ans, Ron, m'apporte un soutien de tous les instants et il fait face à ma maladie du mieux qu'il peut. Mes trois grands enfants ne me rendent pas souvent visite et ne semblent pas trop préoccupés par mon état. Ron croit qu'ils refusent d'admettre les faits... Je suis incapable de travailler et j'ai été heureuse d'apprendre que j'étais éligible à des prestations d'invalidité mensuelles.

Nous continuons de prier pour qu'un remède au cancer des ovaires soit découvert avant que celui-ci ne m'emporte.

«Faites des plans, Dieu rit… Je m'en remets à l'univers pour traverser ces temps difficiles…. Je travaille vraiment dur à tenir la Mort en échec.»

JUDITH, quelque part aux États-Unis

Les facteurs de risque

Le cancer des ovaires est beaucoup plus fréquent dans les pays industrialisés, ce qui en fait presque une maladie propre aux nations bien développées (exception faite du Japon). Le cancer des ovaires peut survenir dans n'importe quel groupe d'âge, mais il est plus courant chez les femmes postménopausées. Plus de la moitié des décès attribuables au cancer ovarien se produisent chez les femmes dont l'âge varie entre 55 et 74 ans. Environ 25 % des décès attribuables au cancer des ovaires se comptent parmi les femmes âgées de 35 à 54 ans. L'absence d'ovulation – grossesse, contraception orale ou maladie entravant l'ovulation – pourrait réduire le risque de cancer ovarien.

Le cancer des ovaires se manifeste le plus souvent lorsque les facteurs de risque suivants sont présents :

- Antécédents familiaux de cancer des ovaires ;

- Âge supérieur à 50 ans ;

- Aucun accouchement (plus le nombre de grossesses est élevé, plus le risque de cancer ovarien diminue) ;

- Antécédents personnels de cancer du sein ;

- Race (le cancer ovarien frappe 50 % plus souvent les femmes blanches que les femmes afro-américaines) ;

- Descendance juive ashkénaze ;

- Hormonothérapie substitutive (accroît très légèrement le risque de cancer ovarien) ;

- Utilisation de médicaments visant à stimuler la fécondité (multiplie par trois le risque chez les femmes qui n'ont pas enfanté – toutefois, ceci n'est pas un facteur déterminant) ;

- Régime riche en graisses (associé à une fréquence plus élevée de cancer ovarien dans les pays industrialisés, mais ce lien n'a pas encore été prouvé) ;

- Application de poudre de talc dans la région périnéale (cette pratique a été pointée du doigt, mais encore une fois, rien n'a pas été prouvé) ;

- Obésité (pourrait jouer un rôle si la masse corporelle est de 20 à 25 % supérieure au poids-santé).

Le cancer des ovaires peut cependant se manifester à n'importe quel âge. Ayla Hope Nelson en est la preuve. Elle a maintenant 12 ans, mais elle n'avait que 5 ans au moment du diagnostic.

J'aimerais vous dire pourquoi je veux que les gens sachent ce qu'est le cancer des ovaires. Et ceci pour de nombreuses raisons. On peut en souffrir sans qu'il soit diagnostiqué. Si vous avez des symptômes, dites à votre médecin

que vous ne vous sentez pas très bien et demandez-lui de faire tous les tests de dépistage. Mais le cancer des ovaires est plutôt rare chez les enfants de mon âge.

Une autre raison pour laquelle les gens doivent être informés, c'est que si vous avez ce cancer et qu'il n'est pas traité, vous pouvez en mourir. Cette idée ne plaît à personne. Ma mère et ma grand-mère ont d'abord pensé que je souffrais d'un trouble de l'alimentation parce que je n'avais pas d'appétit. Le cancer des ovaires est aussi bizarre que cela. Assurez-vous d'avoir de bons et gentils médecins et infirmières. Le plus important, c'est d'avoir une bonne attitude et de demeurer positive. Vivez une journée à la fois. J'espère que ceci aidera d'autres personnes.

La mère d'Ayla, Debbie, dit que sa fille était une enfant en bonne santé jusqu'à un mois après son 5e anniversaire. Elle a alors commencé à se plaindre de douleurs abdominales et elle avait de la difficulté à manger. Debbie l'a faite examiner par leur médecin de famille, qui a posé un diagnostic de constipation. Deux semaines plus tard, Ayla a vu un autre médecin pour les mêmes symptômes et ce dernier a découvert une masse abdominale. Ayla a aussitôt été envoyée au centre médical de l'université du Massachusetts. On a découvert qu'une tumeur maligne de la taille d'un pamplemousse s'était logée sur l'ovaire droit d'Ayla. La tumeur, cet ovaire et la trompe de Fallope ont été enlevés. Ayla a ensuite suivi une série de 6 traitements de chimiothérapie. Sa mère écrit :

Ayla n'a pas eu de rechute après la période d'attente de 5 ans... J'aimerais conseiller aux gens qui doivent affronter cette affreuse maladie d'être ouverts et honnêtes avec tout le monde. Ne vous retirez pas en vous-même. Prenez un calepin et écrivez tout ce que votre médecin vous dit, car je n'ai rien retenu de ce qu'on m'a dit les premiers jours. Cherchez de l'information sur Internet. Documentez-vous. Et soyez à l'aise avec vos médecins...

Le cancer ovarien héréditaire

Peu de femmes sont génétiquement prédestinées à souffrir du cancer des ovaires. De fait, de 5 à 10 % seulement des femmes qui reçoivent ce diagnostic ont des antécédents familiaux.

Le premier indice pour déceler un risque d'ordre génétique est l'âge auquel une femme développe un cancer ovarien. Selon le *Gilda Radner Familial Ovarian Cancer Registry*, compilé à Buffalo dans l'État de New York, l'âge moyen auquel apparaissent les tumeurs familiales est de 60,8 ans. Ceci contraste avec l'âge moyen des femmes qui sont inscrites à ce registre, c'est-à-dire 53,5 ans.[6] Le même rapport fait état d'un pourcentage significativement plus élevé de tumeurs séreuses, laissant supposer que ce type de tumeurs pourrait être lié au cancer ovarien héréditaire. Inversement, le nombre de tumeurs mucineuses et de tumeurs stromales y est beaucoup plus bas, ce qui pourrait indiquer que ces dernières ne sont pas liées au risque familial.

La composante génétique est déterminée par les parents, et c'est pourquoi il est important de connaître ses antécédents familiaux, tant du côté maternel que paternel.

Les gènes BRCA1 et BRCA2 qui sont présents dans toutes les cellules aident normalement à prévenir la croissance des tumeurs en contrôlant la multiplication cellulaire. Un exemplaire de chaque gène est hérité de chaque parent. Dans les cas de cancer ovarien héréditaire, la femme a reçu de l'un de ses parents un exemplaire mutant – ou altéré – de l'un de ces gènes. Mais avant que le cancer ne puisse se développer, l'autre gène doit également devenir anormal. Cette cellule mutante se divise de façon anarchique, et devient cancéreuse. La recherche a démontré que le gène BRCA1 est plus étroitement lié au cancer ovarien que le gène BRCA2.

Pour dresser un portrait familial dans le but de détecter d'éventuelles influences d'ordre génétique, le médecin reliera les membres de la famille d'une femme au « degré » de relation qu'elle a avec eux.

---

6. M.S. Piver, M.D., LLD, *The Gilda Radner Familial Ovarian Cancer Registry, 1981-2000*.

Par exemple, les mères et les sœurs sont des parentes au premier degré, alors que les grands-mères et les tantes sont des parentes au deuxième degré et que les cousines le sont au troisième degré. Si une parente du premier degré a déjà souffert d'un cancer des ovaires, alors le risque que la femme en soit également atteinte un jour augmente par rapport à celui que l'on constate dans la population en général, passant de 1,7 % à 5 %; si une parente du premier degré et une autre du deuxième degré ont été atteintes, le risque grimpe à 7 %. Si deux parentes du premier degré et une autre du deuxième degré en ont souffert, alors le risque *peut* atteindre 50 %.

Joan Bernardino, une enseignante à la retraite, est bénévole au *Gilda Radner Registry*. Elle a une connaissance directe du travail qu'il faut effectuer pour dresser un portrait familial précis dans les cas de cancer ovarien.

Le 12 septembre 1960. C'était il y a longtemps, mais chaque instant de cette journée me hante encore. Mon père nous avait doucement réveillées, mes sœurs et moi. Nous déposant un baiser sur le front, il nous avait annoncé d'un ton grave que notre mère venait de mourir; elle avait 47 ans. Dans une tentative visant à nous protéger, il ne nous avait jamais dit qu'elle se mourait d'un cancer des ovaires. Même si j'avais été témoin des ravages de cette terrible maladie, il ne m'était pourtant jamais venu à l'esprit qu'elle pourrait en mourir...

Mon père est demeuré seul pour élever trois adolescentes, ma jumelle Jean et moi qui venions d'avoir 13 ans, et notre sœur Carolyn qui en avait 18. Aujourd'hui, plus de 40 ans plus tard, le cancer des ovaires est réapparu dans notre vie. Notre père s'est remarié deux ans après la mort de maman. À cause de ce remariage et de sa nature réservée, il parlait rarement de notre mère. Nous en sommes venues à penser qu'elle n'avait plus de parents proches... Lorsque notre père est décédé en 1983 des suites d'un cancer du rein, notre dernier lien avec maman est disparu.

Nous n'avons jamais oublié les douloureuses images des derniers mois de la vie de notre mère, mais nos médecins nous avaient dit que comme il n'y avait eu qu'un seul cas de cancer ovarien dans notre

famille, nous ne courions pas davantage de risques que la femme moyenne de souffrir de cette maladie.

Arrivées à l'âge adulte, nous avons toutes les trois consciencieusement subi des examens annuels et, personnellement, je passais une échographie abdominale et un test sanguin CA-125 deux fois par année. En 1995, à l'âge de 48 ans, j'ai subi une ablation de l'utérus et des ovaires à cause de kystes ovariens bénins. Jean et Carolyn ont toutes deux subi une ovariectomie due à l'endométriose, mais les examens pathologiques n'ont pas révélé de cellules cancéreuses.

En 1998, lorsque j'ai déménagé à Buffalo, dans l'État de New York, peu après avoir pris ma retraite du monde de l'enseignement, j'ai offert mes services en tant que bénévole au Gilda Radner Familial Ovarian Cancer Registry. Quelques années plus tôt, j'avais lu la biographie de Gilda, intitulée It's Always Something, *et je connaissais donc la mission de cet organisme. Après avoir lu des lettres déchirantes écrites par des parents proches de victimes du cancer ovarien, j'ai ressenti le besoin de trouver des réponses à certaines questions qui revenaient sans cesse.*

Mes sœurs et moi pensions que notre grand-mère maternelle était décédée des suites d'un cancer, mais nous ne savions pas précisément de quel type. Se pouvait-il qu'elle ait également été emportée par un cancer des ovaires, nous plaçant ainsi dans un groupe à risque? J'ai donc décidé de demander le dossier d'hospitalisation de ma mère. J'ai vite appris les horribles détails de sa maladie. À l'âge de 44 ans, elle avait consulté un médecin pour une sensation d'inconfort pelvien et un gonflement de l'abdomen. Lors d'une intervention chirurgicale exploratoire, le médecin avait découvert un cancer ovarien bilatéral au stade avancé. Fait étonnant, elle avait vécu encore deux ans malgré un pronostic fort peu encourageant.

*L'après-midi où j'ai reçu ce dossier, je me suis aussitôt installée devant mon ordinateur et j'ai entrepris des recherches sur deux sites Web de généalogie (**www.familysearch.org** et **www.ancestry.com**). En commençant avec le nom de ma mère, j'ai été en mesure de reconstituer en 30 minutes un arbre généalogique remontant à 4 générations. J'ai été étonnée d'apprendre que les ancêtres de ma mère étaient juifs, un fait que ni elle ni mon père ne nous avaient révélé. À cause de mon travail au Gilda Radner Registry, je savais que le diagnostic de cancer*

ovarien qu'avait reçu ma mère à un jeune âge, ainsi que son ascendance juive ashkénaze, étaient souvent associés à un risque familial de cancer des ovaires.

Mon mari et moi avons passé tout le week-end à faire des recherches des deux côtés de la famille de ma mère. Curieux de savoir qui avait fourni toutes ces informations aux administrateurs de ces sites Web, mon mari a décidé d'entrer en communication avec une femme dont le nom était cité comme source et de lui demander si elle avait un lien de parenté avec moi. Voici sa réponse : «Je cherche les filles de Louise [prénom de ma mère] depuis près de 30 ans!» Cette femme était la fille de notre cousine et nous avons rapidement su pourquoi elle tentait de nous retrouver.

Nous avons été ravies de constater que nous avions encore de la famille dans le Montana, le lieu de naissance de ma mère. Cependant, nous avons été estomaquées d'apprendre que nous avions 6 parentes qui étaient mortes des suites du cancer des ovaires et/ou du sein. Mes sœurs et moi nous soumettons actuellement à un programme de dépistage génétique. Ma fille est vue deux fois par année par son médecin pour un examen pelvien, une échographie et une mesure de son taux de CA-125. Récemment, Jean a subi une ovariectomie prophylactique (ablation chirurgicale des ovaires à des fins préventives) et Carolyn attend les résultats de divers tests.

Si l'une d'entre nous, ou encore toutes trois, avons hérité du gène mutant qui est associé au cancer des ovaires ou du sein, nous pourrons prendre des mesures de prévention ou de dépistage précoce du cancer du sein. Nous serons également examinées régulièrement afin que toute tumeur péritonéale puisse être décelée rapidement. Fait également important, nos filles auront toute l'information nécessaire pour être suivies en ce qui a trait au cancer des ovaires et du sein, ainsi qu'à tout autre cancer associé à cette mutation. À titre de nouveaux membres du Gilda Radner Registry, on nous tient informées des résultats des toutes dernières études. Nous avons également la satisfaction de savoir que notre famille contribue à la recherche de meilleures méthodes de dépistage et de prévention du cancer ovarien.

Je ressens le besoin de continuer à étudier les antécédents de ma mère et je suis très heureuse qu'il existe maintenant une telle base de données, *un outil dont n'ont pas pu profiter ma mère, ma grand-mère, ma tante, ma cousine et deux de mes grands-tantes.*

Le message que je désire transmettre ici, c'est que toutes les femmes devraient connaître les antécédents médicaux de leur famille. Si vous n'en connaissez pas les détails, armez-vous de patience et faites des recherches. Le réseau Internet facilite grandement ce type de recherches. Si vous n'avez pas accès à un ordinateur ou si vous avez besoin d'aide, allez à la bibliothèque publique de votre quartier ou demandez à un ami de vous donner un coup de main. Ces recherches pourraient vous sauver la vie, ainsi que celle de vos enfants.

> *«Les patientes veulent vivre et exploitent tous les moyens modernes pour y arriver. Nous devons les soutenir dans leurs efforts.»*
>
> DR DENNY DE PETRILLO, chirurgien oncologue

L'évaluation du risque génétique

Prenez quelques minutes pour faire ce simple test en cochant tous les énoncés qui s'appliquent à votre situation.

Partie A

Ma mère et une ou plusieurs de mes sœurs ont eu un cancer ovarien. ❏

Deux de mes sœurs ou plus ont eu un cancer ovarien. ❏

Ma fille et ma mère ont eu un cancer ovarien. ❏

Ma fille et une ou plusieurs de mes sœurs ont eu un cancer ovarien. ❏

Partie B

Ma mère (mais non mes sœurs) a eu un cancer ovarien. ❏

Une de mes sœurs (mais non ma mère) a eu un cancer ovarien. ❏

Partie C

Ma grand-mère maternelle a eu un cancer ovarien. ❑

Ma grand-mère paternelle a eu un cancer ovarien. ❑

Une ou plusieurs des sœurs de ma mère ont eu
un cancer ovarien. ❑

Une ou plusieurs des sœurs de mon père ont eu
un cancer ovarien. ❑

Partie D

Une de mes filles, de mes cousines ou de mes nièces
a eu un cancer ovarien. ❑

Une de mes parentes a eu un cancer de l'estomac. ❑

Une de mes parentes a eu un cancer du sein. ❑

Comment interpréter vos réponses

Si vous avez coché un ou plusieurs énoncés dans les Parties A à C, vous courez le risque de souffrir d'un cancer ovarien.

Si vous avez coché n'importe lequel des énoncés de la Partie D, vous pourriez courir le risque de souffrir d'un cancer ovarien.

Dans certains cas, les femmes qui risquent de souffrir du cancer des ovaires peuvent également développer un autre cancer. Le cancer ovarien peut être lié à d'autres tumeurs, et c'est pourquoi il est important de parler à votre médecin de vos parentes qui ont été atteintes d'un cancer du sein, du côlon ou de l'utérus.

La consultation et le dépistage génétiques

Si vous avez un risque familial de souffrir du cancer des ovaires, votre médecin pourra vous suggérer de voir un conseiller en génétique. La consultation génétique est une approche visant à calculer le risque qu'une femme soit atteinte d'un cancer ovarien au cours de sa vie, comparativement à la population générale.

Cette consultation comprend l'établissement d'un historique détaillé des antécédents familiaux en matière de cancer. Les cancers familiaux sont confirmés par l'étude des dossiers médicaux dans lesquels sont consignées les analyses de tissus, ainsi que par les certificats de décès. Ensuite, un arbre généalogique est dressé; il permet habituellement de déterminer s'il y a risque de cancer héréditaire. C'est ici que le dépistage génétique entre en ligne de compte.

En gros, le dépistage génétique consiste en une analyse sanguine qui permet de vérifier la présence d'une mutation génétique. Alors que les tests de dépistage de certains cancers sont assez précis, ce n'est pas le cas du test de dépistage du cancer des ovaires. Si le test est négatif, cela signifie que la femme n'a pas davantage de risques de souffrir d'un cancer ovarien que la population générale. S'il est positif, il est *possible* qu'elle développe un cancer des ovaires.

Lorsqu'on considère qu'une femme risque de souffrir du cancer, les membres de sa famille courent le même risque. Une équipe de conseillers en génétique offre alors son soutien aux femmes qui songent à subir un test de dépistage génétique, car les résultats obtenus les laissent souvent perplexes, en colère et très anxieuses.

COMMENT LE CANCER DES OVAIRES EST-IL DIAGNOSTIQUÉ ?

Les tumeurs bénignes

Environ 300 000 Américaines – et peut-être 30 000 Canadiennes – sont hospitalisées chaque année en raison de masses et de lésions aux ovaires, et un plus grand nombre encore reçoivent un diagnostic d'anomalie ovarienne lors d'un examen de routine. La plupart de ces anomalies ne sont pas cancéreuses; il peut s'agir de kystes, d'abcès et d'infections, de fibromes, d'endométriose, d'une grossesse ectopique (lorsqu'un embryon se loge dans une trompe de Fallope et doit être retiré par voie chirurgicale) ou d'une tumeur bénigne. Les masses et les kystes sont plus inquiétants chez les enfants ou chez les femmes post-ménopausées que chez les femmes en âge de se reproduire, étant donné que la majorité de ces masses peuvent avoir un lien avec le cycle menstruel.

Angie Rankin, âgée d'une quarantaine d'années, est une ancienne instructrice de conditionnement physique de Sudbury. Ses symptômes ont commencé à se manifester au début de la vingtaine, mais ce n'est qu'à l'âge de 25 ans qu'elle a reçu un diagnostic de cancer ovarien. Elle a été opérée à Toronto. Elle a maintenant plus de 45 ans. Angie décrit le moment où elle a dû annoncer la nouvelle à sa famille, ainsi que la façon dont ses proches et elle ont affronté la maladie...

Mon retour à la maison (de Toronto à Sudbury) en compagnie de papa a été long et silencieux. En montant dans la voiture, je lui avais dit que je préférais ne pas parler des résultats avant notre arrivée à la maison. Quand j'y repense maintenant, je ne peux qu'admirer la gentillesse, la patience et la compréhension dont mon père a fait preuve à mon égard. Il n'a posé aucune question et n'a pas abordé le sujet de ma maladie. Je suis certaine qu'au fond de son cœur il savait que les résultats n'étaient pas encourageants, mais il a respecté mon désir et il m'a soutenue.

L'annonce des résultats [à ma famille]... reste très vague dans mon esprit. Mais je crois que personne n'a pleuré; nous étions tous en état de choc... Ce n'est qu'après avoir annoncé la nouvelle à ma famille et à mes amis que j'ai réellement compris que ma vie était sur le point de changer. S'il existait une chance que je surmonte la maladie, je devais d'abord accepter les changements qu'elle apporterait dans ma vie.

L'examen gynécologique annuel

Toutes les femmes devraient consulter leur médecin de famille une fois par année pour un examen complet ainsi qu'un examen bimanuel rectovaginal et pelvien, au cours duquel le médecin introduit un doigt dans le vagin et un autre dans le rectum. Cela lui permet d'évaluer la taille des ovaires et la forme de l'utérus, et aussi de détecter la présence de masses ou de tumeurs.

Malheureusement, le cancer des ovaires au stade précoce n'entraîne généralement pas de changements qui peuvent être détectés au cours d'un tel examen. Le test de Papanicolaou (test Pap) est également pratiqué au cours de cet examen annuel, afin de détecter le cancer du col de l'utérus – mais **il ne permet pas** le dépistage du cancer des ovaires. Si une femme a un risque élevé de développer un cancer ovarien, quelques autres tests devraient être effectués, tels l'échographie transvaginale et le test sanguin CA-125.

L'échographie transvaginale

On a recours à l'échographie pour évaluer les tumeurs ou les masses qui ont été détectées pendant l'examen rectovaginal. L'échographie est réalisée à l'aide d'une sonde qui, insérée dans le vagin, émet des ondes sonores – ultrasons – qui rebondissent sur les tissus, les organes et les masses à l'intérieur de la cavité pelvienne.

Ces échos sont ensuite convertis en images par un ordinateur. Une sonde peut également être placée sur la surface de l'abdomen, mais l'échographie transvaginale[7] permet d'obtenir de meilleures images des ovaires. Les tissus sains, les kystes remplis de liquide et les tumeurs solides produisent des ondes sonores différentes ; toutefois, cette technique ne permet pas de déterminer si une tumeur est bénigne ou maligne.

Des études démontrent que, chez les femmes préménopausées dont le taux de protéine CA-125 est normal, les petits kystes remplis de liquide ne sont généralement pas cancéreux. On peut alors leur prescrire des contraceptifs oraux et attendre quelques mois pour voir si les kystes se dissolvent. Les femmes postménopausées sont elles aussi suivies de près pour s'assurer que les kystes disparaissent. Cependant, si un kyste est « complexe », c'est-à-dire qu'il présente une masse ou tout autre anomalie – on en fait généralement l'ablation par voie chirurgicale.

Le test sanguin CA-125

Ce test mesure le taux dans le sang d'une protéine spécifique qui est sécrétée par les cellules et qui, dans plus de 80 % des cas, est trop élevé en présence d'un cancer des ovaires. En général, le taux normal

---

7. Cette méthode permet l'utilisation d'ultrasons de fréquence élevée, particulièrement intéressante en cas d'obésité, d'abdomen cicatriciel, de position gênante de l'utérus.

se situe sous les 35 µ/ml (microns par millilitre), mais l'âge et le statut menstruel peuvent influer sur ce taux. Un certain nombre de troubles de la santé peuvent faire fluctuer le taux de CA-125, incluant les maladies inflammatoires pelviennes, les maladies du foie, les fibromes, les kystes ovariens non cancéreux et même la grossesse.

Par exemple, dans une étude réalisée auprès de femmes préménopausées, le taux normal pouvait grimper jusqu'à 62 µ/ml pendant les menstruations et chuter sous les 32 µ/ml en période d'ovulation. Chez les femmes postménopausées, le taux normal se situe nettement sous les 35 µ/ml. Si votre médecin soupçonne la présence d'un cancer ovarien, c'est généralement un test qu'il pourra effectuer. Si on vous a diagnostiqué un cancer des ovaires, ce test sanguin sera fait à tous les 3, 6 ou 12 mois à des fins de surveillance de la maladie, en cours de traitement et au long cours.

Les autres techniques d'imagerie qui aident à confirmer le diagnostic

Parmi les autres techniques d'imagerie qui aident à détecter la présence d'un cancer ovarien, on compte la tomodensitométrie (TDM), l'imagerie par résonance magnétique (IRM) et les rayons X de la région pelvienne. La tomodensitométrie permet de déterminer si le cancer s'est propagé aux ganglions lymphatiques, aux organes abdominaux, au liquide abdominal ou au foie. L'IRM permet d'obtenir des clichés de coupe transversale du bassin et des organes abdominaux, qui sont ensuite reconstitués sous forme d'images tridimensionnelles. Ces tests ne permettent pas de diagnostiquer comme tel le cancer des ovaires, mais ils peuvent être utiles après le diagnostic.

La laparotomie (ou cœliotomie) est généralement nécessaire pour diagnostiquer le cancer des ovaires. Sous anesthésie générale, une fine incision est pratiquée des os pubiens jusqu'au nombril. Les kystes ou autres tissus suspects sont prélevés et font l'objet d'une biopsie – afin de confirmer ou d'écarter un diagnostic de cancer. Grâce à cette intervention chirurgicale, l'ensemble de la partie inférieure de l'abdomen peut être explorée et évaluée. Le liquide abdominal fait également l'objet d'une analyse visant à y déceler des cellules cancéreuses. S'il y a présence de cancer, le chirurgien en précise le stade évolutif en fonction de son degré de dissémination et, bien entendu, fait l'ablation du plus grand nombre possible de tissus cancéreux – ovaires, utérus, etc.

La stadification

L'évaluation de l'étendue de l'atteinte tumorale se fait, comme nous l'avons dit plus haut, lors d'une intervention chirurgicale exploratoire. Il s'agit de déterminer à quelle phase de son histoire naturelle se situe la tumeur. Cette stadification requiert le prélèvement à des fins d'analyse au microscope (biopsie) de fragments de tissus des coupoles diaphragmatiques, de l'épiploon (une couche de gras qui recouvre et soutient les organes abdominaux), et parfois des ganglions lymphatiques abdomino-aortiques.

De plus, un lavage péritonéal est effectué au moyen d'une solution saline qui est injectée dans la cavité abdominale. Cette procédure favorise la détection de cellules cancéreuses microscopiques, c'est-à-dire invisibles à l'œil nu. Après ce lavage, le chirurgien explore la cavité pelvienne et procède à l'ablation de tout tissu anormal. Il examine aussi l'intestin et la vessie.

Stade I : Tumeur limitée aux ovaires.

Ia : Tumeur unilatérale, n'atteignant pas la surface ovarienne, sans ascite, capsule ovarienne intacte.

Ib : Tumeur bilatérale, n'atteignant pas la surface ovarienne, sans ascite, capsule ovarienne intacte.

Ic : Tumeur de stade Ia ou Ib, avec l'une ou plusieurs des complications suivantes : tumeur atteignant la surface de l'un ou des deux ovaires, rupture capsulaire, présence de cellules malignes dans le liquide d'ascite ou de lavage péritonéal.

Survie après 5 ans : de 60 à 95 %, selon le type, le grade et le sous-stade histologiques.

Jonsie Holloway a 20 ans et vit à Nashville, au Tennessee. À l'âge de 18 ans, quelques semaines seulement avant son 19e anniversaire, elle a reçu un diagnostic de cancer ovarien de stade I. Elle écrit :

Je suis une survivante du cancer des ovaires. Le 24 mai 2000, on m'a fait une échographie qui a révélé une très grosse tumeur sur mon ovaire droit. On a décidé de m'opérer six jours plus tard.

Cela faisait des mois que j'avais constamment mal au côté, que je faisais des infections urinaires à répétition et que j'avais le ventre ballonné. Les médecins ont d'abord attribué mes symptômes à des infections urinaires et m'ont prescrit des antibiotiques – un médecin m'a même dit que j'étais enceinte et m'a conseillé de voir un gynécologue obstétricien. Après une échographie, c'est ce dernier qui a découvert la tumeur. Il m'a adressée à un gynécologue oncologue le jour même.

Avant l'intervention chirurgicale, j'ai dû signer un formulaire de consentement autorisant le chirurgien à procéder à une ovariectomie – et peut-être même à une hystérectomie – dans l'éventualité d'une propagation du cancer. C'était terrifiant... terrifiant de minimiser ainsi le problème. Je ne savais pas si je pourrais avoir des enfants un jour. Lorsque je me suis réveillée, aucun des membres de ma famille n'a voulu éclairer ma lanterne. Ils souhaitaient tous que ce soit mon médecin qui m'apprenne que j'avais un cancer, car ils savaient que je poserais des questions auxquelles ils seraient incapables de répondre.

Le lendemain matin, mon médecin a confirmé ma pire crainte – j'avais un cancer. Comment et pourquoi moi – à 18 ans? Elle m'a dit que j'avais beaucoup de chance... elle n'avait enlevé que la tumeur et mon ovaire droit. Le cancer ne s'était pas propagé ailleurs. Comme j'étais toute menue, la tumeur n'avait pas pu grandir horizontalement et elle avait donc été forcée de se disséminer verticalement, vers l'estomac.

J'ai une cicatrice qui commence à 2,5 centimètres sous les seins et qui descend jusqu'aux os pubiens – une cicatrice très intimidante pour une jeune fille de 20 ans qui ne pourra plus jamais porter un bikini sans gêne. La perte de mes cheveux après la chimiothérapie et cette cicatrice ont été les deux aspects les plus difficiles de toute cette épreuve.

J'associe maintenant la moindre douleur au cancer. C'est à coup sûr la pire chose dont j'ai fait l'expérience, mais cela a fait de moi la personne la plus forte que je connaisse. Il me reste encore un ovaire et je prie chaque jour pour qu'il reste sain – je compte sur lui pour fonder *une famille. J'ai terminé mes 39 traitements de chimiothérapie à la fin de l'an 2000 et j'espère ne jamais avoir à traverser de nouveau cet enfer.*

Stade II : Tumeur ovarienne unilatérale ou bilatérale avec extension pelvienne.

IIa : Extension et/ou métastases utérines ou tubaires.

IIb : Extension sur la vessie ou le rectum.

IIc : Tumeur de stade IIa ou IIb, avec l'une ou plusieurs des complications suivantes : tumeur atteignant la surface de l'un ou des deux ovaires, rupture capsulaire, présence de cellules malignes dans le liquide d'ascite ou de lavage péritonéal.

Survie après 5 ans : environ 60 %.

En 2000, Adrienne Dern, de Kensington dans le Maryland, allait bientôt avoir 50 ans lorsqu'on lui a diagnostiqué deux cancers primitifs simultanés : un cancer de l'utérus au stade I et un cancer des ovaires au stade II. Après la chirurgie, la chimiothérapie et la radiothérapie, elle se sent maintenant très bien et des examens médicaux réguliers confirment son état de bonne santé générale.

Mais plus rien n'est tout à fait comme avant. On lit et on entend bien des choses à propos du manque de délicatesse des gens, y compris des médecins, lorsqu'ils parlent à une personne atteinte du cancer. Je ne peux pas dire que ce soit entièrement vrai. Mais lorsqu'un ami m'a dit, à la fin de mon traitement de chimiothérapie : «Les choses vont maintenant revenir à la normale», j'ai compris que le mot «normalité» avait désormais une signification entièrement nouvelle pour moi.

Je ne me perçois plus comme avant, et les autres aussi me voient autrement. J'avais toujours pensé que je vivrais jusqu'à au moins 85 ans. J'ai dû réviser mes prévisions; c'est toujours une possibilité, mais ça m'apparaît désormais moins probable. Et j'avais l'habitude de plaisanter avec mon mari à propos de ce qui arriverait si nous manquions d'argent avant de mourir. Maintenant, j'ai peur de mourir avant de manquer d'argent.

Je n'ai rien changé à ma vie depuis le diagnostic, et pourtant tout a changé.

Mes amis et ma famille ont formé un cercle d'amour autour de moi dès que j'ai reçu mon diagnostic, et ils sont toujours présents aujourd'hui. Je leur suis reconnaissante chaque jour, et je le serai éternellement. Mais maintenant, lorsqu'ils me demandent comment je vais, leur question en dit long. Je ne suis plus l'Adrienne à qui ils s'adressaient autrefois. Je suis l'Adrienne qui a (a eu ?) le cancer. La maladie nuance tout.

J'ai côtoyé d'autres personnes atteintes du cancer et j'ai trouvé cela à la fois enrichissant et douloureux. J'ai fait la connaissance de tant de gens merveilleux au cours des 13 derniers mois. Ils comprennent. Ce que nous avons traversé tisse un lien entre nous : la chirurgie, la radiothérapie, la chimiothérapie; la peur et la tristesse; et aussi la surprise de trouver autant de grâce et de bénédiction dans notre malheur.

J'attends impatiemment le jour où sera reconnu le pouvoir que le cancer exerce dans ma vie, sans qu'on s'incline devant lui. Le jour où il ne sera plus qu'un événement parmi d'autres dans ma vie, et non plus l'événement principal.

Son touchant poème, intitulé *Liste de contrôle*, résume l'expérience d'un grand nombre de femmes.

Liste de contrôle

Chirurgie.
Terminée.

Radiothérapie.
Terminée.

Chimiothérapie.
Terminée.

Cancer.
À terminer.

Stade III : Tumeur ovarienne unilatérale ou bilatérale avec extension péritonéale extra-pelvienne, et/ou atteinte ganglionnaire régionale au bassin, à l'aorte et à l'aine.

IIIa : Tumeur manifestement limitée au bassin, ganglions lymphatiques négatifs, avec atteinte péritonéale microscopique confirmée par biopsie.

IIIb : Tumeur unilatérale ou bilatérale avec métastases péritonéales de moins de 2 cm de diamètre ; ganglions lymphatiques négatifs.

IIIc : Tumeur unilatérale ou bilatérale avec métastases péritonéales de plus de 2 cm de diamètre ; ganglions lymphatiques négatifs, ou atteinte ganglionnaire régionale au bassin, à l'aorte et à l'aine.

Survie après 5 ans : environ 20 %.

Dorene Knapp, de Oswego dans l'Illinois, une directrice de services financiers devenue imagiste-conseil (spécialiste des images de marque qui conseille ses clients sur la façon d'améliorer la perception de leur personne physique ou morale par le public) était âgée de 36 ans en 1998 lorsqu'on lui a diagnostiqué un cancer ovarien de stade IIIc.

C'est au cours d'un voyage de 24 heures à motocyclette avec son mari Gerry qu'elle a été indisposée par une grave indigestion et des brûlures d'estomac. Deux « drapeaux rouges » qui l'ont incitée à consulter son médecin quelques jours plus tard : premièrement, son ventre était tellement gonflé qu'elle n'arrivait plus à attacher son pantalon ; et deuxièmement, elle sentait une masse lorsqu'elle se tâtait l'abdomen.

Je me suis présentée dans une clinique d'urgence où un médecin m'a dit pouvoir sentir la masse. Il a prescrit des tests. La semaine suivante, on m'a dit qu'il pouvait s'agir d'une tumeur maligne et qu'il me fallait consulter un gynécologue. Je suis donc allée voir une gynécologue. Elle m'a dit que je devrais être opérée et qu'il serait préférable qu'un gynécologue oncologue soit présent pour effectuer une stadification, au besoin. À la fin du mois de juillet, on m'a diagnostiqué un cancer ovarien de stade IIIc. Trois semaines plus tard, j'ai commencé un traitement de chimiothérapie de première intention à base de Taxol® et de carboplatine.

Après ce diagnostic, je me suis documentée sur le cancer des ovaires. Je n'avais jamais entendu parler de cette maladie auparavant. Je n'en connaissais pas les symptômes. Je suis persuadée que je me serais alarmée plus tôt si j'avais connu ces symptômes. Je n'avais jamais négligé mes examens annuels.

De fait, j'avais consulté mon médecin en octobre 1997. Il était justement temps que je passe mon examen annuel lorsque j'ai commencé à ressentir des douleurs à la poitrine (que j'attribuais à des brûlures d'estomac). J'ai été contente d'apprendre que mon test Pap était négatif. Comme j'en savais peu à cette époque! Le médecin croyait que mes problèmes étaient reliés au stress. Il m'a conseillé de consulter un psychiatre.

Alors que je recevais mes premiers traitements de chimiothérapie, j'ai eu l'idée de faire une collecte de fonds pour financer la recherche et des activités d'éducation qui feraient connaître ce type de cancer et son caractère furtif. J'ai trouvé des commanditaires et j'ai organisé une campagne de conscientisation qui serait par la suite connue sous le nom de « Ovarian Cancer Awareness and Pledge Run ».

Je voulais que tout l'argent recueilli soit consacré à la recherche sur le cancer des ovaires. Mon gynécologue oncologue dirige le laboratoire de recherche en gynécologie et oncologie au Rush Presbyterian St. Luke's Medical Center, à Chicago dans l'Illinois. Ce médecin m'a renseignée sur la nature des recherches que son laboratoire effectuait relativement au cancer des ovaires.

Je suis partie en quête de commanditaires en décembre 1998, à la fin de ma première série de traitements. J'ai fait des présentations devant des associations de motocyclistes et j'ai envoyé des communiqués de presse à des journaux. La « campagne » elle-même consistait en un défilé de motocyclettes avec escorte policière, au terme duquel les gens pouvaient manger, écouter un orchestre, participer à une vente aux enchères bénéfice, assister à une démonstration de motos et à une séance d'information sur le cancer des ovaires. Le premier événement a eu lieu le 11 septembre 1999. La campagne avait pour thème « Transformer un murmure en un rugissement ». Entre 250 et 300 personnes y ont participé et nous avons recueilli plus de 18 000 $ pour la recherche.

Puis mon médecin a fait une présentation. On aurait pu entendre voler une mouche tellement l'auditoire était attentif. La documen-

tation fournie traitait des signes et des symptômes du cancer des ovaires, et du fait qu'il n'existe pas de méthodes de dépistage infaillibles. Des rubans bleu sarcelle que mes amis et moi avions cousus ont été remis à chaque participant.

Bien que j'aie été en rémission pendant la presque totalité du processus de planification de cette campagne, des tests ont révélé une récidive avant la tenue de l'événement. J'ai eu un traitement de chimiothérapie avant cette fameuse journée, planifiant le tout de manière à être en forme le jour du défilé.

En décembre 1999, j'ai subi une autre intervention chirurgicale majeure au cours de laquelle on a retiré le reste de la tumeur qui ne répondait pas à la chimiothérapie de deuxième intention. En avril 2000, j'ai terminé ma deuxième série de traitements. Comme le risque de récidive était élevé et que je ne savais pas dans quel état je serais pour planifier un autre événement, j'ai trouvé d'autres organisateurs.

Depuis mon diagnostic, je corresponds sur Internet avec des femmes qui sont atteintes du cancer des ovaires. J'ai eu le plaisir d'en rencontrer quelques-unes en personne. Malheureusement, d'autres sont décédées. Rosemary, la femme qui avait conçu les fiches d'information sur les signes et les symptômes du cancer ovarien qui avaient été distribuées lors de notre premier événement, est décédée en mars 2000. C'est leur mort qui m'a inspiré le poème Transformer un murmure en un rugissement ; il demeure le thème de nos événements de conscientisation annuels.

Ma santé et mon énergie m'ont permis de coprésider notre deuxième campagne, qui s'est tenue en septembre 2000. Plus de 400 personnes ont participé à l'événement et nous avons recueilli plus de 22 000 $ pour la recherche sur le cancer des ovaires. Je lis mon poème dans le cadre de notre séance d'information. Nous avons même créé un « Tableau des rugissements » sur lequel les participants pouvaient épingler la photo d'amies ou de parentes atteintes du cancer des ovaires. Tous pouvaient ainsi mettre un visage sur la maladie.

En décembre 2000, les résultats de mon test sanguin CA-125 ont révélé la réapparition du cancer. J'ai entrepris une thérapie biologique (anticorps monoclonaux) en février 2001. Mon taux de CA-125 a continué de grimper. En avril, mon médecin a ajouté la chimiothérapie à *ma thérapie biologique. Mais mon taux de CA-125 est toujours en hausse. Il est maintenant plus élevé qu'avant mon premier diagnostic.*

Notre troisième campagne annuelle de conscientisation allait avoir lieu le 9 septembre 2001. Bien que membre du comité directeur, je ne suis plus sur la ligne de front. Notre groupe local de propriétaires de Harley Davidson est devenu notre commanditaire principal, ce qui devrait attirer encore plus de participants. Nous prévoyons offrir un méchoui de porc et de bœuf. Nous parlons également d'ajouter un char allégorique au défilé dans l'espoir d'attirer encore davantage l'attention de la population.

Tout au long de ma maladie, j'ai continué à travailler comme conseillère imagiste, et j'ai dû suivre plusieurs des conseils que je donne dans mon ouvrage intitulé Beauty and Wellness Tips for Cancer Patients. *J'ai le sentiment d'avoir grandi, tant personnellement que spirituellement. J'ai également le sentiment qu'il me faut continuer à aborder la vie avec une forte appréciation de moi-même, davantage de détermination et de nouveaux défis.*

Vous trouverez ci-dessous le poème de Dorene : *Transformer un murmure en un rugissement.* Malgré sa maladie, elle continue de travailler comme conseillère imagiste auprès de consultants en mode dans la grande région de Chicago.

Transformer un murmure en un rugissement

Je n'avais jamais pensé que je l'attraperais,
tellement ma vie était saine,
Il est arrivé sournoisement, un murmure, oh non !
Je ne connaissais pas le *cancer ovarien,*
je n'en connaissais pas les signes,
J'ai tellement appris depuis, j'ai lu tellement de documentation.

Il n'y a pas de cristaux magiques, pas de remède miracle pour moi,
Comme chez tant d'autres, on n'a rien vu avant le stade IIIc.
Il y a eu la chirurgie et la chimiothérapie,
Il y a eu des médecins et des infirmières que vous adoreriez.

Mais cela aurait été agréable de faire leur connaissance
Dans d'autres circonstances.

Je vois la peur et la douleur dans les yeux de ma mère,
Mon mari m'aide beaucoup, il me soutient lorsque
coulent les larmes bénéfiques.
Je savais qu'il me faudrait livrer un combat, il me fallait donc
rassembler mon courage,
Ce n'était pas le moment de dresser des plans ridicules
ou quoi que ce soit de médiocre.

On dit que le *cancer des ovaires* est un tueur silencieux,
Qu'il se propage dans un murmure.
Il y a eu trop de morts, il y a trop de lits déserts,
Je savais qu'il me fallait crier très fort, hurler
du sommet d'une montagne,
Pour faire connaître cette maladie au monde,
personne n'aurait pu me faire taire.

Il n'existe pas de test de dépistage, le test Pap ne le détecte pas,
Il faut en découvrir un, il faut s'en occuper.
Et c'est pourquoi cette campagne est née,
Un défilé d'autos et de motos,
Pour s'amuser et recueillir des fonds,
Afin que d'autres n'aient pas à mener ce combat.

Grâce à de nombreux commanditaires et donateurs,
Nous avons créé un événement réussi.
Nous espérons répéter l'expérience chaque année,
et j'en suis très heureuse.
Si cet événement sauve une vie, nos efforts n'auront pas été vains.
Des fonds pour la recherche et l'éducation sont notre but.
Tant de gens merveilleux, tant d'amis dévoués,
La vie m'a choyée en me donnant votre fidèle soutien.
Je prends ici le temps de vous remercier,
Pour tout ce que vous avez fait,
Mais je veux surtout vous remercier de m'avoir aidée à
Transformer un murmure en un rugissement!

Stade IV : Tumeur ovarienne unilatérale ou bilatérale, métastases à distance, au foie ou aux poumons, ou présence de cellules malignes dans l'excès de liquide s'étant accumulé autour des poumons.

Survie après 5 ans : 10 %.

Jo Ann Schmitz avait 53 ans lorsqu'elle a été diagnostiquée en 1998. Elle était administratrice de l'enseignement dans un collège privé de Brookfield, dans le Wisconsin, avant de quitter son emploi pour cause d'invalidité.

Le 4 octobre 2000. L'air était frais sur mon visage mais le soleil était chaud sur ma nuque alors que j'agrippais la rampe et me penchais pour regarder les eaux de la baie à 120 mètres en contrebas. C'était une journée d'automne absolument parfaite. Les arbres avaient presque terminé le coloriage de leur feuillage — jaune, orange, rouge, brun roux. Un ciel de Polaroid se reflétait dans les eaux bleu-vert. Je me trouvais sur une passerelle au-dessus de Green Bay, à quelques mètres d'une falaise de calcaire escarpée, une main sur la rampe, l'autre agrippée à la ceinture de mon mari pour assurer mon équilibre. J'avais le vertige et mes muscles étaient tendus. Je me suis mise à pleurer. « C'est le genre d'endroit où je veux que mes cendres soient dispersées lorsque je mourrai. Si tu veux bien les disperser au lieu de les conserver. Ou peut-être préfères-tu les semer au vent dans notre jardin de fleurs ? »

Je pensais à la mort depuis presque deux ans. Je pensais à ma mort, à ce que la vie serait pour John et nos deux enfants adultes. Notre dernière escapade dans ce centre de villégiature rural du nord du Wisconsin remontait à exactement 2 ans. À cette époque, j'étais pleine d'énergie, en pleine forme et satisfaite de la vie.

Nous faisions de la randonnée dans les bois pendant des heures, nous improvisions des pique-niques. Nous partions en exploration, nous montions au sommet de tours pour prendre des photos, nous longions des digues avec de l'eau jusqu'à la taille pour aller visiter un phare. À cette époque, nous ne pensions pas à la mort.

Quelques vagues symptômes m'avaient poussée à prendre rendez-vous avec mon gynécologue peu de temps après mon retour de vacances. J'étais ménopausée et je pensais que le dosage de mon hormonothérapie avait besoin d'être ajusté. J'étais préoccupée par mon tour de taille qui s'épaississait malgré trois ou quatre séances hebdomadaires d'aérobie. J'étais révoltée... plus rien ne semblait m'aller et je n'aimais pas l'image que me renvoyait mon miroir. C'est tout.

Pas d'autres signes, pas d'autres symptômes, pas d'avertissements comme quoi ma vie telle que je la connaissais allait être bouleversée du tout au tout. Lorsque j'ai passé une mammographie, j'ai dit au médecin que le cancer du sein ne m'inquiétait pas outre mesure, mais que le cancer des ovaires me préoccupait, car ma mère en était morte.

Au cours de l'examen interne, mon médecin a dit ne rien sentir, mais il m'a tout de même prescrit une échographie transvaginale. Lorsqu'on m'a fait cette échographie quelques jours plus tard, le technicien est brusquement sorti de la pièce et est revenu avec un médecin. Sifflant entre ses dents, fredonnant doucement, il ne m'a pas adressé la parole avant la fin de l'examen. «Eh bien, je sais que vous avez hâte de connaître les résultats. J'appelle tout de suite votre gynécologue. Nous éviterons ainsi le délai habituel de deux jours.»

Mais j'avais compris. Je ne me rappelle pas m'être rhabillée, ni avoir fait le trajet entre l'hôpital et le collège. J'avais compris. J'ai pensé à ma mère, qui était morte à l'âge de 54 ans; et j'en avais 53. J'ai pris conscience du fait que j'avais toujours pensé que je serais «chanceuse» si je vivais plus longtemps que ma mère. Serait-ce le cas?

Je n'ai pas pu retourner directement au travail. J'ai fait un détour jusqu'à un café où je suis demeurée longtemps assise. Le ciel venait de me tomber sur la tête. J'étais consternée. Je ne sais pas combien de temps je suis restée là. La certitude d'avoir un cancer creusait une caverne en moi. À l'intérieur, il n'y avait que le néant, un vide glacé aux flancs escarpés. L'obscurité. J'ai senti sa présence et puis j'ai sombré dans la léthargie.

J'ai perdu toute vue d'ensemble. J'ai limité mes pensées à l'instant présent. Je refusais d'être consciente d'autre chose que de la sensation de la tasse de café dans ma main, de l'odeur et du goût du café décaféiné, chaud et couleur de caramel. J'ai rejeté tout le reste. J'ai pensé à John qui était en voyage et je me suis demandée si j'arriverais à le joindre. Je ne pouvais pas lui annoncer ça au téléphone. J'ai pensé à notre fille, une étudiante de cycle supérieur à l'université d'État qui se trouvait à quelque 115 kilomètres de la maison.

Quel jour étions-nous? D'habitude, j'arrivais facilement à me rappeler l'horaire de Rebecca; mais pas aujourd'hui. Est-ce que, comme moi, elle perdrait sa mère avant même de jouir de sa présence en tant qu'adulte? J'ai pensé à notre fils, qui vivait dans un autre État, à près de 500 kilomètres de distance, et qui venait de se trouver un nouvel emploi, qui était en train de s'installer dans un nouvel appartement, non loin du lieu où habitait la femme qu'il aimait. Est-ce que David épouserait Meg? Est-ce que je vivrais assez longtemps pour voir mes petits-enfants?

Lorsque je suis retournée au bureau, j'avais un message de ma gynécologue. Je l'ai appelée et elle m'a recommandé de consulter sans tarder un gynécologue oncologue au sujet d'une chirurgie. De fait, elle avait déjà pris un rendez-vous pour moi à 15 heures. Il était 13 heures. Je me suis demandé une fois de plus si je devais appeler mon mari. Demain serait bien assez tôt pour le plonger dans ce film d'horreur. Je n'ai donc parlé de ce rendez-vous à personne.

J'ai écouté les explications détaillées du médecin à propos de l'intervention chirurgicale, des risques encourus, du besoin prudemment formulé «d'écarter» tout diagnostic de cancer. J'ai porté un intérêt tout intellectuel à ces explications, refoulant ma peur et mes larmes. C'était un vendredi. Je serais opérée le lundi suivant à 9 heures. J'ai passé le week-end à tenter de rassurer tout le monde. N'était-il pas préférable qu'«il» disparaisse lundi au lieu de continuer à grandir dans mon corps?

Je n'ai pas été surprise de voir le visage de mon mari lorsque j'ai ouvert les yeux dans la salle de réveil. Il a confirmé le diagnostic d'une voix douce. Cette nuit-là ou la nuit suivante, peut-être, très tard, je me suis réveillée et j'ai entendu une femme crier et sangloter, inconsolable. J'ai écouté pendant qu'une infirmière appelait un aumônier et lui expliquait qu'une patiente venait d'apprendre qu'elle souffrait du cancer des ovaires et qu'elle avait besoin d'une aide immédiate.

J'ai eu pitié de cette femme, songeant qu'il était malheureux que rien ni personne ne l'ait préparée à recevoir cette nouvelle. Ma propre rage et mes larmes sont venues plus tard, pendant le traitement. J'ai crié à l'injustice, au moment mal choisi. J'ai pleuré ce que je perdais, ce qui ne serait jamais.

Mais au début, je suis restée imperturbable. La chimiothérapie était la prochaine étape. J'ai abordé la chose de façon systématique, n'y voyant qu'une seule et unique épreuve. Six traitements et ce serait terminé. Je serais « débarrassée ». Je commencerais à vivre après le cancer.

J'avais tort, tort, tort. Deux ans plus tard, je sais à quel point j'avais tort de penser ainsi. Pour moi, il n'y a pas de vie après le cancer. La perspective de la mort fait maintenant partie de ma façon de penser. Et aujourd'hui, j'ai marché dans la forêt, jouissant du changement de saison. La falaise est infranchissable : lisse et sans prise. Les eaux de la baie clapotent doucement sur ses flancs blanchâtres. Je m'éloigne lentement du bord. Le diagnostic est clair : je vis avec un cancer au stade avancé.

Jo Ann s'est récemment demandé ce qu'elle ferait différemment dans l'éventualité d'une mort prochaine : « Je n'ai rien changé à ma vie, sauf que je ris davantage, que j'exprime davantage mon amour et ma gratitude, et que je suis davantage consciente de ce qui est bon dans ma vie. » Elle continue à marcher au bord de la falaise.

COMMENT TRAITE-T-ON LE CANCER DES OVAIRES ?

Hystérectomie totale et salpingo-ovariectomie / réduction tumorale

L'ovaire est généralement enlevé si la stadification permet au chirurgien de croire qu'il est cancéreux. C'est ce qu'on appelle une *ovariectomie*. Le chirurgien peut n'enlever que l'ovaire atteint si le cancer est à un stade précoce et si la femme préménopausée souhaite conserver la possibilité d'avoir des enfants. Chez les femmes préménopausées dont le cancer se trouve à un stade avancé et chez toutes les femmes postménopausées, on fait l'ablation de l'utérus (hystérectomie), ainsi que des trompes de Fallope et des deux ovaires (salpingo-ovariectomie). La *réduction tumorale* consiste à retirer la plus grande portion possible d'une tumeur.

Des études ont démontré qu'entre 25 et 35 % des femmes qui sont atteintes d'un cancer ovarien devront subir une chirurgie intestinale ou une chirurgie urologique pour que la réduction tumorale soit optimale. Une colostomie permanente est parfois nécessaire, mais demeure rare chez les femmes qui ont eu une préparation intestinale préopératoire – nettoyage des intestins au moyen de lavements et de laxatifs, et administration d'antibiotiques oraux.

Une laparotomie de second regard pourra être pratiquée après 6 traitements de chimiothérapie lorsque le cancer semble maîtrisé, afin de déterminer si une autre approche thérapeutique s'impose.

Dans les cas de cancers récidivants, la chirurgie est parfois requise pour soulager une occlusion intestinale.

Parmi les complications (quoique peu fréquentes) pouvant être liées à une intervention chirurgicale, on compte les infections, les saignements, ainsi que les lésions à la vessie, au rectum et à l'uretère pouvant causer une fistule. Il peut y avoir formation de caillots sanguins dans les jambes, avec migration occasionnelle jusqu'aux poumons (embolie pulmonaire).

«Le cancer, c'est comme un embouteillage par une chaude journée du mois d'août. Je n'ai jamais inscrit le cancer dans mon agenda... Il n'était pas sur ma liste de choses à faire: # 1 aller chez le teinturier; # 2 acheter des timbres, # 3 attraper le cancer.»

SHERYL EISENBARTH, de Seattle, État de Washington

La chimiothérapie

La chimiothérapie est l'administration de médicaments dans le but de combattre une maladie – par exemple le cancer des ovaires. Après la chirurgie, les patientes dont la tumeur dépasse le stade précoce, ou n'est pas classée comme étant à faible grade de malignité, doivent généralement suivre un traitement de chimiothérapie. Alors que la chirurgie vise à retirer la plus grande partie possible de la tumeur, les médicaments anticancéreux détruisent les cellules à division rapide partout dans l'organisme. Les médicaments anticancéreux peuvent donc viser et attaquer les cellules cancéreuses où qu'elles se trouvent, et non pas seulement en un emplacement précis.

Les médicaments utilisés en chimiothérapie

Le traitement initial du cancer ovarien consiste souvent en l'association d'un sel de platine, tel que le carboplatine ou le cisplatine, et d'un taxane, tel que le paclitaxel (*Taxol*®). Cette combinaison sel de platine/paclitaxel s'est révélée plus efficace que la combinaison sel de platine/cyclophosphamide que l'on utilisait auparavant. L'utilisation de paclitaxel lors de la première série de traitements de chimiothérapie a donné lieu à un meilleur taux de réponse et à un meilleur taux de survie comparativement aux régimes posologiques utilisés antérieurement.

Carolyn Gardner est enseignante dans une école publique de la région de Pittsburgh. C'est une survivante qui a suivi 9 traitements de chimiothérapie.

Si je porte un chapeau, c'est parce que mes cheveux repoussent... mais avec une pointe blanche! Après mon 7e traitement de chimiothérapie, ma tête s'est couverte d'urticaire, et mon gentil neveu me la tamponnait avec du peroxyde. Bonjour!

Ma maladie a commencé à se manifester le printemps dernier. Je me sentais fatiguée et ma taille avait épaissi. Mes amis m'ont conseillé de faire davantage d'exercice, mais ma mère et ma sœur m'ont plutôt recommandé de consulter mon gynécologue. Ce que j'ai fait, le 8 juin 1998; et ce jour a changé ma vie...

La vie nous réserve des surprises. J'avais prévu passer un été merveilleux l'an dernier. Je m'étais abonnée à l'opéra municipal et inscrite à un club de natation, et j'avais des réservations à Myrtle Beach. Eh bien, tous ces projets ont dû être modifiés, c'est le moins qu'on puisse dire.

J'avais tellement investi d'énergie dans ma tâche d'enseignante que ma vie en avait été déséquilibrée. Maintenant, cela a changé. Je passe beaucoup plus de temps en compagnie de mes amis, et j'ai consolidé mes liens avec les membres de ma famille. Lorsque je reviendrai et reprendrai mon poste d'enseignante, je continuerai à faire de mon mieux, mais je ne me noierai pas dans un verre d'eau...

Malgré le tourbillon dans lequel je me trouvais, j'ai réalisé que mon dernier traitement pourrait très bien coïncider avec mon 50ᵉ anniversaire. Donc, au mois de mars, j'ai fait quelque chose que je n'aurais probablement jamais fait si je n'avais pas reçu ce diagnostic de cancer des ovaires. Je me suis fait percer les oreilles, deux fois chacune! Mes boucles en diamant ne sont-elles pas jolies?

Je ne suis plus la même personne depuis le 8 juin 1998. La maladie m'a appris plusieurs choses :

1. *Savourez le moment présent. Faites-vous plaisir chaque jour.*

2. *Prévoyez des activités amusantes auxquelles vous aurez hâte de vous adonner. Je crois que c'est très important.*

3. *Pensez davantage à vous. Vous n'avez pas la responsabilité de régler les problèmes du monde entier.*

La radiothérapie

Il existe certaines preuves que l'emploi thérapeutique des rayonnements ionisants est aussi efficace que la chimiothérapie lorsque le cancer a été diagnostiqué à un stade précoce et qu'il n'y a pas de résidus tumoraux après la chirurgie.

La radiothérapie est parfois utilisée pour éliminer des résidus tumoraux microscopiques ou des tumeurs que la chimiothérapie n'a pas réussi à détruire. Les rayons de haute énergie peuvent être dirigés uniquement sur la région pelvienne mais, généralement, le volume cible englobe toute la cavité péritonéale. L'irradiation se fait à raison de 5 séances par semaine et le traitement s'étale sur 4 ou 5 semaines, ce qui se traduit par un meilleur taux de survie. Parmi les complications et les effets secondaires, on compte la diarrhée, les nausées et les vomissements, les saignements de la vessie et du rectum, les cicatrices vaginales, l'occlusion intestinale, et les fistules vésico-vaginales ou anales.

Du phosphore 32 peut être injecté directement dans la cavité abdominale lorsqu'il n'y a aucun résidu post-opératoire visible, ou lorsque la superficie de la tumeur résiduelle ne dépasse pas 1 mm.

Les indications thérapeutiques selon le stade

Stade 1a

Traitement standard : la thérapie dépend tout d'abord de l'âge de la patiente et de la classification histologique de la tumeur.

Dans le cas des tumeurs à la limite de la malignité, bien différenciées (grade 1), chez les femmes qui souhaitent conserver leur fonction de reproduction, le traitement standard comprend l'ablation de l'ovaire cancéreux et de la trompe de Fallope adjacente (toutefois, l'autre ovaire, apparemment sain, devrait faire l'objet d'une biopsie), le retrait d'une partie de l'épiploon, et la biopsie des ganglions lymphatiques pelviens et abdomino-aortiques.

Chez les femmes postménopausées et celles qui ne souhaitent pas conserver leur fonction de reproduction, le traitement standard consiste en une hystérectomie totale, une salpingo-ovariectomie et une stadification minutieuse. Chez les femmes atteintes d'une tumeur à la limite de la malignité de stade 1 ou d'un carcinome de grade 1, le traitement est en général uniquement chirurgical.

Le traitement standard lorsque les tumeurs sont de grade 2 et de grade 3 est l'hystérectomie totale, la salpingo-ovariectomie, une stadification minutieuse et une série de 6 traitements de chimiothérapie, habituellement à base de cisplatine ou de carboplatine en association avec de la cyclophosphamide. La radiothérapie pelvienne ou abdomino-pelvienne peut aussi être recommandée.

Approches expérimentales

- Essais cliniques comparant l'administration d'une dose unique intrapéritonéale de phosphore 32 à un traitement chimiothérapeutique combiné (6 cycles) à base de cisplatine et de cyclophosphamide chez des femmes atteintes de tumeurs peu différenciées (grade 2 et grade 3).

- Chimiothérapie intrapéritonéale au moyen d'agents anticancéreux tels que le cisplatine ou le carboplatine.

Stade 1b

Traitement standard : hystérectomie totale, salpingo-ovariectomie et stadification minutieuse. Un traitement plus poussé n'est généralement pas nécessaire lorsque la tumeur est à la limite de la malignité ou lorsqu'il s'agit d'un carcinome de grade 1.

Les tumeurs de grade 2 et de grade 3 nécessitent habituellement un traitement de chimiothérapie d'association post-opératoire (généralement à base de carboplatine ou de cisplatine combiné à de la cyclophosphamide, et administré à toutes les trois semaines s'il est bien toléré, pour un total de 6 cycles), ou encore une radiothérapie pelvienne ou abdomino-pelvienne.

Voici le témoignage de Sue Skalinder, d'Evanston, dans l'Illinois :

Je rêve de vivre longtemps et de voir mes enfants vivre leur vie, et aussi de jouir de la présence de mes petits-enfants et de la vie en général. Au début du mois de février 2001, j'ai commencé à ressentir une légère douleur au côté droit. Cela ne m'a pas inquiétée outre mesure, mais parce que ma fille a insisté, j'ai pris un rendez-vous chez le médecin, qui a été fixé à deux semaines plus tard. La douleur était omniprésente et semblait s'intensifier, mais pas au point de m'empêcher de donner mes cours de sciences à mes élèves de 7e et de 8e années, ni de marcher entre 6 et 8 kilomètres par jour avec mes chiens. Je supposais qu'il s'agissait d'un problème de vésicule biliaire.

Au cours des deux semaines qui ont précédé mon rendez-vous, j'ai remarqué qu'il m'arrivait de plus en plus souvent d'avoir à respirer très profondément et de me sentir rassasiée après avoir très peu mangé.

Mon spécialiste des maladies organiques a procédé à un examen complet et a pris les mesures nécessaire pour que je passe un tomodensitogramme abdominal (scanographie) le lendemain – il a dû insister car le carnet de rendez-vous de l'hôpital était déjà rempli. Pendant la soirée, il m'a téléphoné pour me dire qu'une tumeur s'était probablement logée sur un de mes ovaires.

Nous étions stupéfaits, mais encore assez naïfs pour ne faire aucun lien avec le cancer. Il m'a donné le nom d'un gynécologue oncologue avec qui je devrais communiquer le lundi suivant pour obtenir un rendez-vous. Nous étions effrayés, mais nous gardions l'espoir que ce soit bénin.

Mais le dimanche soir, la douleur est devenue intolérable et mon interniste m'a dit de me présenter à l'hôpital d'Evanston et de m'y faire admettre. On m'a examinée et on m'a administré un analgésique, et j'ai pu dormir. Le lundi matin, de nombreux médecins, internistes et résidents ont défilé dans ma chambre, posant des questions et tâtant mon abdomen.

Lorsque le gynécologue oncologue est entré, il a commencé à me parler du cancer des ovaires. C'est à ce moment-là que nous avons compris. Il a parlé de la possibilité que d'autres organes soient touchés et il m'a dit qu'une résection intestinale ou même une colostomie serait peut-être nécessaire. C'est pourquoi il me faudrait subir une coloscopie avant l'intervention chirurgicale qui aurait lieu le mercredi.

Nous étions trop abasourdis pour réagir. Et nous avions évidemment une peur bleue. Une fois seule, j'ai pleuré et pleuré; je ne pouvais pas le faire en présence des membres de ma famille, car je ne savais pas si je pourrais tenir le coup. Mon mari a prévenu nos deux enfants qui vivaient dans une autre ville, et les deux autres qui habitaient dans les environs.

Au cours de l'après-midi, on m'a préparée pour les tests et on m'a ensuite fait une radiographie pulmonaire (négative). Le mardi matin, on a fait les tests intestinaux et j'ai eu les résultats le jour même. Le tractus intestinal, du moins vu de l'intérieur, semblait sain.

Pendant mon hospitalisation, mon mari et ma fille ont toujours été présents, sauf la nuit, et cela m'a été d'un grand réconfort. Nous nous aidions les uns les autres à tenir le coup, et nous nous efforcions de demeurer positifs. Nous faisions de longues promenades dans les couloirs.

De plus, des amis et des collègues de l'école m'ont apporté leur soutien, la direction et les étudiants m'ont envoyé des fleurs et des cartes de prompt rétablissement – ma chambre ressemblait à un jardin au printemps. Oui, cela fait une différence. Tous ces gens qui priaient pour moi ou qui m'envoyaient de l'énergie positive m'ont donné la force de continuer. Ils m'ont aidée à croire en moi.

Le mercredi, j'ai été conduite au bloc opératoire vers 10 heures. J'ai dit à mon mari que ce n'était pas de l'intervention chirurgicale dont j'avais peur, mais plutôt de ce qu'on m'apprendrait à mon réveil. Lorsque ma famille a dû se retirer et que ma civière a franchi les portes du bloc opératoire, j'étais extrêmement anxieuse et bouleversée, mais on avait dû commencer à m'administrer un produit anesthésiant, car je n'ai qu'un vague souvenir de mon arrivée dans la salle d'opération et de silhouettes en train de se brosser les mains. Lorsque j'ai repris conscience dans ma chambre d'hôpital, toute ma famille était là.

L'intervention chirurgicale s'était bien déroulée – la réduction tumorale avait été optimale. On avait fait l'ablation de l'épiploon, des ovaires, des trompes de Fallope, de l'utérus et du col utérin. Aucun organe vital ne semblait touché. Il y avait bien sûr des cellules cancéreuses résiduelles microscopiques dans mon abdomen, mais la chimiothérapie en viendrait à bout. Bonnes nouvelles.

Mon père m'a appris que sa mère avait été emportée par un cancer des ovaires à l'âge de 41 ans. Trois des quatre sœurs de ma mère avaient connu le même sort à l'âge de 48 ou 49 ans. La génération de mon père ne comprenait que des mâles. Et maintenant, il y a moi. Il va de soi que je suis très inquiète pour ma sœur, qui est de deux ans mon aînée, ainsi que pour ma fille et pour toutes les jeunes femmes de la famille.

Cela a été fantastique de rentrer à la maison et d'amorcer ma convalescence dans un environnement familier. Les cartes et les fleurs continuaient à arriver en abondance et les gens ont commencé à apporter de la nourriture. Je ne saurais vous dire à quel point toute cette attention m'a fait du bien. Cela m'a remonté le moral et m'a donné la volonté de lutter.

C'était une situation humiliante. Je suis naturellement très forte et indépendante, et cette dépendance était donc nouvelle pour moi. Mais j'ai appris à accepter tout ce qu'on m'offrait et à apprécier le soutien que cela m'apportait. Mes élèves ont fabriqué de grandes affiches de papier et des cartes que nous avons collées sur les murs de notre salle de séjour. Mes élèves de 7e année avaient terminé un chapitre sur la dissection de grenouilles à la fin de janvier, et le thème des grenouilles était donc prédominant sur leurs affiches. L'une d'elle représentait une grenouille géante avec un petit ventre rose sur lequel on pouvait lire : «Découpez ici ». Lorsque je l'ai fait, j'ai découvert leurs souhaits et leurs signatures à l'intérieur des organes du batracien.

J'avais beaucoup de difficulté à trouver une position confortable – mon dos me faisait souffrir et mon ventre était enflé et sensible. Mes articulations protestaient si je demeurais trop longtemps dans la même position – même au lit. Le moindre mouvement me prenait une éternité, comme par exemple placer un oreiller sous mes genoux lorsque j'étais allongée sur le dos, ou sous mon ventre et entre mes genoux lorsque j'étais couchée sur le côté.

La carence hormonale qui avait soudainement été imposée à mon organisme perturbait mon sommeil et je me réveillais souvent trempée de sueur, et bien sûr, il me fallait aussi une éternité pour me rendre à la salle de bain. Quatre semaines après l'intervention, j'ai enfin pu changer de position plus facilement. Qu'il est donc merveilleux de pouvoir bouger !

Mes intestins protestaient et je pouvais sentir leurs violentes contractions. La meilleure chose à faire était alors de me lever et de déambuler dans la maison jusqu'à ce que les gaz s'échappent ou que je puisse aller aux toilettes. Parfois, j'empile des oreillers sur mon lit, je m'agenouille devant eux et j'y appuie la poitrine, la tête pendant dans le vide. C'est la seule façon pour moi de m'« étendre » sur le ventre et de soulager mes douleurs dorsales.

Et parfois, je m'allonge sur le dos, par terre ou sur mon lit, les mains au-dessus de la tête. C'est l'équivalent de légers étirements et cela me fait beaucoup de bien. Je respire alors profondément. Mon dos apprécie également lorsque, dans cette position, je fléchis les genoux et soulève le bassin.

Je me fais masser une fois par semaine. Ma massothérapeute me rappelle à quel point il est important que mon corps éprouve du plaisir après la mutilation dont il a fait l'objet. Je m'allonge sur le dos sur la table de massage recouverte d'un coussin chauffant. Elle me masse le cou et la tête, les épaules, les bras et les jambes, les mains et les pieds.

À la fin de la séance, je suis totalement détendue – même le bas de mon dos ne me fait plus mal. Je recommande la massothérapie – c'est un très beau cadeau à faire à quelqu'un qui souffre du cancer. Ma thérapeute propose aussi des exercices de méditation corporelle et des *étirements à faire à la maison afin de favoriser la relaxation et une approche globale du corps.*

Deux semaines après mon intervention chirurgicale, je me suis présentée à la clinique pour ma première séance de chimiothérapie. On allait m'administrer du Taxol® et du carboplatine, le traitement anti-cancéreux qui est actuellement le plus efficace pour lutter contre le cancer des ovaires. Mais à la 3ᵉ goutte de Taxol®, j'ai fait une réaction ana-phylactique – brusque hausse de la température corporelle suivie d'une intense sensation de fourmillement, d'une chute brutale de la tension artérielle et de contractions de tout le corps, internes et externes. Je suis devenue cramoisie.

Il a fallu 4 heures pour que mon état se stabilise et que je puisse rentrer à la maison. C'était terrifiant. On m'a dit que cela se produisait dans environ 16 % des cas mais qu'il existait une technique de désen-sibilisation qui fonctionnait presque à tout coup. J'allais donc prendre de fortes doses de stéroïdes le soir même, le lendemain soir et le matin suivant, et on ferait une deuxième tentative. Les stéroïdes m'ont procuré une grande sensation de bien-être. Je ne sentais plus la douleur, exception faite des crampes intestinales. Je marchais plus aisément, et je me sentais très alerte. Je parlais rapidement et je ne tenais pas en place.

Lors de la deuxième tentative, on a commencé avec une solution très diluée de Taxol®, pour plus de sûreté. Si mon corps l'acceptait, on allait augmenter la concentration jusqu'à ce que la dose totale puisse être administrée. Trente secondes après l'administration de la solution diluée, l'infirmière a constaté que mon cou commençait à rougir et elle a stoppé le goutte-à-goutte. Des douleurs fulgurantes le long de la colonne verté-brale m'ont secouée pendant environ 15 minutes. Le Taxol® allait me tuer.

Plusieurs heures plus tard, on a opté pour un traitement jugé moins efficace, associant le Cytoxan et le carboplatine, qui avait été utilisé jusqu'en 1996. J'étais très heureuse d'avoir au moins pu recevoir un traitement avant de rentrer chez moi. Mais j'étais aussi extrêmement déçue de ne pas pouvoir bénéficier du meilleur traitement disponible. Il nous a fallu plusieurs jours, à ma famille et à moi, pour comprendre que nous devions faire confiance au traitement que mon corps voulait bien accepter...

Faire face à cette horrible maladie est difficile. Il est bénéfique de pouvoir vivre des moments pendant lesquels notre esprit rationnel prend le contrôle et laisse nos émotions s'engourdir un peu. Mon mari a un esprit cartésien, et il jongle avec les statistiques et les probabilités dans le cadre de son travail. J'ai également une formation scientifique, et je peux donc comprendre que les statistiques ne s'appliquent jamais aux individus.

Donc, lorsque je lis que seulement de 20 à 25 % des femmes atteintes d'un cancer ovarien au stade III peuvent espérer survivre 5 ans, je sais que cela ne signifie pas que mes propres chances sont aussi faibles. On a établi ces statistiques en se fondant sur des milliers de cas et même plus. Tout individu entreprend un traitement avec une chance d'être guéri (100 %) ou de ne pas l'être du tout (0 %). Par conséquent, mes chances de vaincre ce cancer ne sont pas de 25 %, mais plutôt de 100 % ou de 0 %. Et je peux vivre avec cette perspective.

J'ai également compris que la vie n'offre jamais de garantie. N'importe qui peut mourir n'importe quand dans un accident de voiture ou une quelconque catastrophe. Mais nous ne nous attardons pas à ces possibilités et nous ne nous enfermons pas chez nous afin d'échapper à de telles tragédies. Nous vaquons à nos activités quotidiennes et chassons ces dangers de notre esprit. Nous profitons de la vie. Donc, en dépit de mon diagnostic de cancer, je peux choisir de croire en mon traitement et de profiter pleinement de la vie. Et si je dois plus tard être confrontée à ma mortalité, j'y ferai face en temps et lieu.

À part mon beau-frère, j'ai deux voisins et un ami d'enfance qui sont morts du cancer dans la cinquantaine. Ils ont tous été de formidables modèles de rôle dans leur façon d'accepter la mort et de célébrer la vie. À la fin, tous ont bénéficié de l'aide fournie par une unité de soins palliatifs.

Est-il possible de faire taire nos émotions et de demeurer rationnels? Non. Je suis une personne très émotive et j'aime bien exprimer ce que je ressens. Mon esprit aime s'adonner à des jeux de simulation (« et si »), et c'est pourquoi je dois parfois me permettre de pleurer. La plupart du temps, je le fais quand je suis seule – en faisant une promenade ou sous la douche – mais il m'arrive aussi de partager *ma peine avec mon mari et mes enfants, et nous pleurons alors ensemble et nous nous réconfortons les uns les autres.*

Cela nous permet de continuer à avancer, de continuer à vivre. Et si j'essaie de faire taire ces émotions, elles prennent de l'ampleur et se manifestent alors aux moments les plus inattendus – ce qui peut être embarrassant et vaut mieux être évité en leur donnant libre cours lorsqu'elles se présentent.

Vers quoi est-ce que je me dirige maintenant? Je travaille à guérir mon corps – physiquement, émotionnellement, spirituellement. Je jouis de la vie et je continue à nourrir des rêves et des ambitions. Je réagis lorsqu'un obstacle se dresse sur ma route et, avec le soutien de ma famille et de mes amis, je vais de l'avant. Aujourd'hui, je me sens forte. Je suis une survivante du cancer.

Stade 1c

Traitement standard : hystérectomie totale, salpingo-ovariectomie et biopsie des ganglions lymphatiques pelviens et abdomino-aortiques. Un examen minutieux des parois intrapéritonéales est vital. Toute lésion suspecte doit faire l'objet d'une biopsie et un lavage de la cavité abdominale devrait être effectué afin de détecter la présence de cellules malignes.

En l'absence de progression de la maladie, le traitement post-chirurgical standard comprend 6 cycles de traitement chimiothérapeutique associant le cisplatine ou le carboplatine à la cyclophosphamide.

Approches expérimentales

- Chimiothérapie intrapéritonéale associant cisplatine ou carboplatine avec ou sans autres agents anticancéreux.
- Irradiation intrapéritonéale au phosphore 32.
- Irradiation pelvienne ou abdomino-pelvienne.

Stade IIa

Traitement standard : acte chirurgical identique à celui qui est pratiqué au stade 1c, incluant la biopsie de toute lésion suspecte et un lavage de la cavité abdominale afin de détecter la présence de cellules malignes. Si les résidus tumoraux ont moins de 2 cm de diamètre, un traitement de chimiothérapie associant cisplatine ou carboplatine et cyclophosphamide est administré à la majorité des patientes. Le traitement comprend 6 cycles, chacun étant suivi d'une période de repos de 3 semaines.

Une irradiation pelvienne ou abdomino-pelvienne pourra être pratiquée si les résidus sont microscopiques.

(*Note : dans les abréviations qui suivent, la lettre «A» correspond à Adriamycin, qui est la marque de commerce de la doxorubicine, et la lettre «P» à platine, pour cisplatine.*)

Si les résidus tumoraux ont plus de 2 cm de diamètre, on aura exclusivement recours à la chimiothérapie par voie intraveineuse. Parmi les associations d'agents anticancéreux utilisés le plus fréquemment, on compte les protocoles suivants : CP (cyclophosphamide avec carboplatine ou cisplatine), CAP (cyclophosphamide avec doxorubicine et cisplatine), AP (doxorubicine avec cisplatine) et CHAP (cyclophosphamide avec hexaméthylmélamine, doxorubicine et cisplatine).

Approches expérimentales

- Irradiation intrapéritonéale unique au phosphore 32, comparée à 6 cycles d'injections intraveineuses de cisplatine et de cyclophosphamide.
- Chimiothérapie intrapéritonéale à base de carboplatine ou de cisplatine avec ou sans autres agents anticancéreux.

Stades IIb, IIIa, IIIb, IIIc et IV

Traitement standard : chez les femmes souffrant d'un carcinome ovarien avancé, la thérapie standard comprend une réduction tumorale aussi complète que possible ainsi que l'ablation de l'utérus, des trompes de Fallope, des ovaires et de l'épiploon. Les ganglions pelviens et abdomino-aortiques font l'objet d'une biopsie.

S'il y a présence de résidus tumoraux après l'acte chirurgical – inférieurs à 2 cm de diamètre – un traitement de chimiothérapie associant cisplatine ou carboplatine et cyclophosphamide est administré. Le traitement comprend 6 cycles, chacun étant suivi d'une période de repos de 3 semaines.

Une irradiation pelvienne ou abdomino-pelvienne pourra être pratiquée si les résidus tumoraux ont moins de 5 mm de diamètre. Une injection intrapéritonéale de phosphore 32 sera prescrite uniquement si les résidus ont moins de 1 mm de diamètre.

Si les résidus tumoraux ont plus de 2 cm de diamètre ou s'il y a présence de métastases à l'extérieur de la cavité pelvienne, on aura exclusivement recours à la chimiothérapie par voie intraveineuse.

Approches expérimentales

De nombreux protocoles expérimentaux sont utilisés dans le traitement du cancer des ovaires :

- Administration intrapéritonéale d'un seul agent anticancéreux tel que l'interféron alpha, le cisplatine, le carboplatine, l'ARA-C, la bléomycine, la mitoxantrone, le 5-fluoro-uracile (5-FU) et l'étoposide.

- Administration intrapéritonéale de melphalan en association avec de l'ARA-C, de carboplatine en association avec de l'étoposide, d'anticorps monoclonaux, et de cisplatine en association avec de l'étoposide et du thiosulfate.

- Administration par voie intraveineuse de fludarabine, d'hexaméthylmélamine, ou de cisplatine en association avec du 5-FU et de l'étoposide.

- Administration par voie intraveineuse de carboplatine en association avec de l'ifosfamide

- Administration par voie intraveineuse de *Taxol*®.

- Administration par voie intraveineuse de cisplatine en association avec de la cyclophosphamide combinée à une irradiation abdominale hyperfractionnée (2 séances par jour).

- Administration de thiosulfate de sodium, qui exerce une action protectrice sur les fonctions rénales tout en minimisant l'aplasie médullaire résultant de la chimiothérapie à base de cisplatine.

- Administration par voie intraveineuse de fortes doses de carboplatine en association avec de l'étoposide et une greffe autologue de moelle osseuse (le greffon est prélevé sur le sujet lui-même).

- Administration de fortes doses de cyclophosphamide en association avec du cisplatine et une irradiation pulmonaire et abdominale, suivie d'une greffe autologue de moelle osseuse.

- Administration de fortes doses de carboplatine en association avec de l'ifosfamide et de la mesna, combinée à une greffe autologue de moelle osseuse.

- Administration par voie intraveineuse de thiotépa et greffe autologue de moelle osseuse.

- Immunothérapie à base d'interleukine 2 ou de cellules mononucléées activées au moyen de l'interleukine 2.

- Administration d'acétate de leuprolide chez les patientes atteintes de tumeurs à faible degré de malignité.

- Administration de paclitaxel (*Taxol*®), une molécule naturelle d'origine végétale ayant une action significative dans la chimiothérapie du cancer ovarien et faisant l'objet d'études poussées.

«Quel que soit notre âge, le mot "cancer"
est synonyme de "peur".

Sachant qu'il n'y a pas de remède, les pires scénarios

nous viennent à l'esprit — mais tout n'est pas perdu.

Le temps devient plus précieux, notre famille
passe avant tout...

Je suis encore là aujourd'hui, depuis 1953.

Je serai éternellement reconnaissante à la vie.»

PEARL, du Canada

LE SUIVI

Le suivi se fait généralement à raison d'un examen tous les trois mois pendant les deux premières années suivant le traitement.

Le cou, les poumons, l'abdomen et le bassin sont soigneusement examinés lors de chaque visite.

Le taux de CA-125 est surveillé de près car son augmentation est souvent le premier signe d'une récidive.

Des tomodensitogrammes ou des IRM abdominaux et pelviens devraient être faits, mais le recours systématique à ces examens n'est pas nécessaire en l'absence de symptômes.

La laparotomie de second regard

S'il n'y a pas signe de progression de la maladie après 6 cycles de chimiothérapie – examen physique, test sanguin CA-125 et tomodensitogrammes pelvien et abdominal à l'appui – une laparotomie de second regard pourra être pratiquée. Bien que cette intervention soit parfois considérée comme une étape thérapeutique standard, son incidence sur le taux de survie n'a pas été démontrée. Cependant, il s'agit de la méthode la plus fiable pour détecter la présence de cellules cancéreuses résiduelles. Ces résidus peuvent être enlevés par la même occasion.

Si la laparotomie de second regard ne laisse entrevoir aucun signe de cancer, il convient de procéder à un lavage péritonéal et à la biopsie de toute adhérence, ou encore d'effectuer au hasard entre 20 et 30 biopsies des organes abdominaux. Des fragments de tissus sont alors prélevés à la surface de la vessie, du pelvis, de la paroi péritonéale, du diaphragme et des ganglions pelviens et abdomino-aortiques, à moins que ces régions n'aient déjà fait l'objet de biopsies. Si une partie de l'épiploon est encore présente, on profite de cette intervention pour l'enlever. Généralement, si la laparotomie de second regard et l'examen au microscope des prélèvements sont négatifs, aucun autre traitement ne sera entrepris.

Certains gynécologues oncologues préconisent une réduction tumorale optimale chez environ 25 à 30 % de leurs patientes chez qui la laparotomie de second regard a révélé la présence de reliquats ayant plus de 2 cm de diamètre. Un cathéter intra-abdominal peut également être installé pendant l'intervention à des fins de chimiothérapie intrapéritonéale.

Le pronostic

Le pronostic varie essentiellement en fonction du stade, du grade et du type de carcinome, ainsi que du nombre de cellules cancéreuses résiduelles après l'ablation chirurgicale initiale.

Le pronostic est excellent pour les femmes atteintes d'un carcinome au stade II, III ou IV de grade 1 chez qui la laparotomie de second regard a été négative. Le pronostic est également bon pour les femmes atteintes d'un cancer de grade 2 ou de grade 3 chez qui la laparotomie de second regard a été négative, quoique le risque de récidive demeure élevé. On estime qu'entre 30 à 50 % des femmes atteintes d'un cancer de grade 3 feront une rechute dans les 5 ans, même après une laparotomie de second regard négative. Par conséquent, de nombreux gynécologues oncologues recommandent un traitement additionnel après la laparotomie de second regard – chimiothérapie par voie intraveineuse ou intrapéritonéale, injection de phosphore 32 ou irradiation abdomino-pelvienne.

Rita Osborne vit à Whitby, en Ontario, et elle est copropriétaire d'un commerce de cette localité. Elle s'attendait à une banale intervention chirurgicale à l'utérus et à la vessie. À son réveil, on lui a annoncé qu'elle souffrait d'un cancer des ovaires au stade III et qu'il lui faudrait suivre des traitements de chimiothérapie et de radiothérapie si elle voulait vivre.

J'ai été hospitalisée en octobre 1999 pour une simple hystérectomie et un rétablissement au niveau de la vessie. J'avais consulté mon médecin à de nombreuses reprises pour des problèmes de vessie ; j'étais ensuite allée voir un gynécologue. On m'a dit que mon utérus était hypertrophié et que je devrais éventuellement être opérée, mais que je pouvais profiter de l'été à venir avant l'intervention !

Après l'opération, on m'a affirmé que je ne vivrais pas plus de 6 mois sans chimiothérapie ni radiothérapie. Je souffrais d'un cancer ovarien au stade III qui avait migré au-delà des ovaires et métastasé à l'intestin.

Inutile de dire que j'ai opté pour le traitement et que j'ai traversé l'«enfer» de la chimio et de la radiothérapie, sans être épargnée par leurs effets secondaires tels que sautes d'humeur, problèmes intestinaux, etc. Mais pendant le mois qui a suivi le diagnostic, je n'avais qu'une seule envie : me jeter devant un train ou me précipiter du haut d'une falaise. Je voulais mourir, j'avais le sentiment que la vie ne valait plus la peine d'être vécue.

Et puis un ange est arrivé dans ma vie, sous la forme d'une dame qui est entrée dans notre magasin de détail. Elle m'a dit que sa mère avait vécu de nombreuses années après avoir reçu un diagnostic de cancer ovarien... elle m'a apporté un ange de verre que quelqu'un avait offert à sa mère, ainsi qu'un livre... Dans ce livre, j'ai lu les mots suivants : « Il faut vivre avec le cancer et non pas en mourir. » Cela a changé ma vie et j'ai pris la résolution de VIVRE pleinement chaque jour qui m'était donné.

En février, j'ai donc commencé à voyager. Je suis d'abord allée en Arizona, et puis j'ai emmené ma famille en Floride, et j'ai finalement passé un merveilleux week-end à Stratford, en Ontario.

Ensuite, mon mari et moi sommes partis en Israël avec 24 autres personnes – au cœur des tensions. Nous y avons passé 12 merveilleuses journées. J'ai pleuré en quittant Jérusalem – il y a dans cette ville une présence presque tangible...

Récemment, j'ai dit à quelqu'un que je venais de vivre la pire et la meilleure année de toute ma vie – et cela était vraiment attribuable au fait que l'on n'apprécie pas la vie à sa juste valeur tant que l'on n'a pas été sur le point de la perdre.

Je veux livrer mon témoignage à toutes celles qui ont reçu ce terrible diagnostic et qui pensent n'avoir plus nulle part où aller, qu'il n'y a plus d'espoir. Je veux leur dire que je me suis « éclatée » cette année, que j'ai vécu des moments très précieux que j'aurais aisément pu rater si j'avais baissé les bras.

Pour les femmes chez qui la laparotomie de second regard révèle des reliquats microscopiques, le pronostic n'est pas aussi bon et dépend en partie du grade histologique. Ces femmes sont d'excellentes candidates pour la chimiothérapie intrapéritonéale ou l'irradiation abdomino-pelvienne.

Pour les femmes chez qui la laparotomie de second regard révèle des reliquats tumoraux macroscopiques, (résidus ayant plus de 2 cm de diamètre), le pronostic n'est pas très encourageant, en dépit de la chimiothérapie de deuxième intention.

La récidive

La récidive du cancer nécessite parfois une intervention chirurgicale exploratoire visant à détecter de nouvelles tumeurs malignes et, le cas échéant, à en faire l'ablation.

La thérapie postopératoire varie et peut comprendre la chimiothérapie intrapéritonéale, la chimiothérapie par voie intraveineuse ou l'irradiation pelvienne ou abdomino-pelvienne. Dans la majorité des cas, il ne s'agit que d'un traitement palliatif.

De nombreux traitements de chimiothérapie d'association ont été utilisés avec un certain succès, dont diverses combinaisons et doses de cyclophosphamide, d'hexaméthylmélamine, de 5-fluoro-uracile, d'ifosfamide, de doxorubicine, de carboplatine et de melphalan.

Barb Silberman est une ancienne sage-femme âgée de 50 ans. Elle vit à Gloucester dans le Massachusetts. Après que sa mère soit décédée d'un cancer des ovaires en 1985, elle a voulu se spécialiser et elle est devenue échographiste. C'est en se faisant une échographie qu'elle a découvert son ascite en 1995. Barb a connu plusieurs récidives depuis son premier diagnostic de cancer ovarien au stade IIIc, et elle a suivi plusieurs séries de traitements de chimiothérapie et de radiothérapie. Cisplatine, *Taxol*®, *Adriamycin*®, gemcitabine et topotécan ne sont que quelques-uns des agents anticancéreux qui lui ont été administrés. Malgré tout, des métastases ont été décelées sur son foie en 1998. La même année, une occlusion intestinale a nécessité une colostomie. Mais rien de tout ça ne l'a arrêtée.

Je fais toujours des échographies, mais je ne travaille plus qu'un jour par semaine. Je m'en fais une de temps en temps. Mon chirurgien et mon oncologue médical apprécient l'information que je leur procure.

Je fais de la plongée, de la couture, du jardinage, des tapis au crochet, je cuisine, je fais de la voile et, en général, je m'amuse. Je vis avec Martha, ma compagne, l'amour de ma vie, qui prend merveilleusement soin de moi et de nos 3 petits chiens.

Les questions les plus importantes qu'il convient de poser à votre médecin

- Quel est le type cellulaire, le degré de malignité et la classification de ma tumeur?

- Que reste-t-il de la tumeur après la chirurgie?

- Quels sont les avantages de la laparotomie de second regard?

- Puis-je consulter un oncologue médical et un radio-oncologue?

- Avez-vous les compétences requises pour traiter le cancer? Est-ce qu'un gynécologue oncologue participera à mon traitement?

Malgré des efforts pour se montrer curieuses ou professionnelles, il y a malheureusement de nombreuses femmes qui n'arrivent pas à se faire comprendre. Linda Barker écrit :

J'ai essayé de plaider en ma faveur, j'ai fait tout ce qu'une patiente doit faire pour devenir membre à part entière de son équipe « soignante », mais j'ai tout de même été mutilée. Et je ne suis pas la seule...

Cela faisait bien 25 ans que j'avais cessé d'écrire, exception faite des platitudes liées à mon travail. Et j'imagine que le cancer m'a fait un « cadeau » en me ramenant à l'écriture. Mais je suis convaincue que j'aurais pu apprendre toutes les autres leçons des 18 derniers mois et être inspirée par autre chose – par exemple des pigeons nichés dans les combles, ou une affreuse verrue. Ou l'arthrite, dont je souffrais de toute façon. Je ne suis pas à ce point lente intellectuellement. Le cancer était vraiment de trop.

Linda est chef de famille monoparentale et a un fils prénommé Grey. Elle vit à Winnipeg, au Manitoba. En 1999, on lui a diagnostiqué un cancer ovarien au stade IIIc. «Sombre pronostic, mais beaucoup d'énergie vitale», écrit-elle.

La rédaction du passage suivant lui a donné la motivation nécessaire pour écrire encore davantage, pour recommencer à écrire. Cela a été en quelque sorte une thérapie. Linda a dû consulter un psychologue car son fils souffrait de «blessures» qui lui avaient été infligées par le diagnostic de cancer, les chirurgies et les traitements subis par sa mère.

Lorsque mon omnipraticien a dit : «L'échographie montre une tumeur de 8 cm sur votre ovaire gauche», je me suis inclinée vers l'avant et j'ai dit d'une petite voix rauque : «Mais j'ai un fils de 7 ans.» Quelle mère peut dire qu'un enfant doit subir cela, et quel enfant peut dire que c'était une bonne chose?

Lorsque l'oncologue a dit : «S'il s'agit d'un cancer, nous allons vous enlever les ovaires et l'utérus», j'ai pensé que je portais la mort en moi. Mon utérus qui devait être un gage de vie devenait un gage de mort.

Et j'ai pleuré. Je me suis apitoyée sur mon sort et je me suis lamentée sur la vie perdue et sur la mort qui gagnait du terrain.

Et après ces pleurs, et avant les pleurs suivants, et entre tous mes pleurs, se trouve l'exquise beauté des joues de mon fils, douces et rondes. Les branches dénudées par l'hiver qui étoilent le ciel bleu, si bleu. Les rires sonores devant une tasse de café autour de la table de cuisine.

Et à travers cette beauté se profile un ardent désir. Et aussi une douleur lancinante et foudroyante à la pensée que plus rien ne pourrait exister.

Et après ces pleurs, et entre tous mes pleurs, ma force et mon espoir sont nés, car j'ai encore plus de vie que de mort en moi. Je suis jeune. J'aime chanter et j'ai un fils.

Lorsque le médecin résident en oncologie m'a dit : «Même si ce n'est pas un cancer, nous pourrions vous enlever l'autre ovaire et l'utérus puisque, de toute façon, vous serez bientôt ménopausée», j'ai eu peur car j'aime bien mon utérus et mes ovaires. Car je suis heureuse d'être une femme.

J'ai regardé droit dans les yeux cet homme qui me voyait comme un élément divisible et réductible, et j'ai pensé : « Je ne connais pas son univers. Je ne sais pas comment il pense. Je dois remettre mon corps entre ses mains, mais quelle partie de moi-même pourrai-je conserver ? » Quelle femme ne connaît pas cette peur ?

Je me suis donc ouverte à mon chirurgien. J'ai parlé et parlé, et tel a été mon message : « Voici qui je suis. Voici ce que je pense, ce que je ressens. Veuillez ne pas l'oublier lorsque vous prendrez des décisions au sujet de mon corps.

« N'exigez pas davantage que ce que le cancer m'a déjà pris – vous n'en avez pas le droit.

« Je dois vous livrer mon corps. Je dois vous faire confiance alors que vous le mutilerez pour le guérir. Mais protégez mon âme et mon Moi, et rendez-les-moi indemnes.

« Mon corps abrite la mémoire de l'Enfant et de la Femme. De la Mère, de l'Amie et de l'Amante. »

Il a ouvert mon corps comme s'il s'agissait d'un ouvrage médical.

Il a enlevé ma tumeur, j'ai perdu mon lit d'enfant. Il a enlevé mes ovaires, il a éteint une flamme.

Il a lu l'histoire d'une maladie. Je vis l'histoire d'une femme. Et lorsque j'ai compris cela, j'ai eu peur.

Parce qu'il me faudrait le revoir encore et encore et encore, et toujours l'implorer silencieusement à grands cris : « Je suis là ! Aidez-moi ! Soignez-moi ! Prenez soin de moi ! »

Oh, ce n'est pas la première fois que j'intercède ainsi auprès de quelqu'un. J'ai supplié avec ma voix, avec mes yeux et avec mon âme des hommes qui ont abusé de moi : « Regardez-moi ! Je suis là ! Je suis bien davantage que mon corps. Si seulement vous pouviez me voir, jamais vous ne me feriez de mal. J'ai été la chatte. J'ai été la putain. J'ai été l'objet. Une ouverture que les hommes pouvaient forcer, envahir et remplir. »

Je suis maintenant devenue Maladie et Tumeur et Cancer. Utérus, Ovaire et Intestin. Une cavité péritonéale à évider.

Ce n'était pas le bon cancer pour moi. J'aurais préféré être épileptique ou souffrir de simples troubles pulmonaires ou hépatiques. C'est un plan banal et cruel qui exige la destruction de ces organes qui ont fait de moi une Femme. Une Mère. Une Patiente. Une Proie.

J'ai dit : « Je suis Moi. Ne l'oubliez pas. »

Pourra-t-il s'en souvenir ? Le puis-je ?

Lois Brook vit à Stone Mountain, en Géorgie. Elle avait 47 ans et on aurait dit qu'elle était enceinte de six mois, mais elle n'éprouvait aucune douleur. Un spécialiste des maladies organiques lui avait affirmé que tout allait très bien, mais le mari de Lois n'était pas satisfait. Ils ont demandé à leur médecin de famille de les adresser à un autre spécialiste.

Ils ont finalement obtenu une réponse, mais elle n'avait rien de réjouissant. Lois avait trois tumeurs lovées autour de ses ovaires et sur une partie de ses intestins. Elle a, elle aussi, reçu un diagnostic de cancer au stade IIIc. Quatre litres de liquide d'ascite ont été drainés de son abdomen. Comme beaucoup d'entre nous, elle a subi une hystérectomie totale, une appendicectomie, une ovariectomie et une résection intestinale. Elle fait mesurer son taux de CA-125 chaque mois, mais elle a délibérément omis le test du mois de décembre « afin de profiter des vacances sans avoir à se soucier des résultats » !

Je conseille à toutes les femmes d'écouter leur corps et de tenir compte des signaux d'alarme qu'il lance. Ne permettez à personne de rejeter vos préoccupations du revers de la main. Faites preuve de ténacité lorsque vient le moment de vous faire entendre et d'obtenir de l'aide. C'est ce qui pourrait faire toute la différence si le diagnostic était posé à un stade précoce... Paix et guérison.

LOIS

L'INDISPENSABLE SOUTIEN

*L*e réconfort est à l'opposé de la maladie. Alors que le mot maladie sous-entend douleur et mal, le mot réconfort est synonyme d'apaisement de la douleur et du chagrin.

William Shakespeare fait allusion au réconfort de la foi dans *Henri VI*: « Louange à Dieu qui, aux âmes croyantes, donne la lumière dans les ténèbres, la consolation dans le désespoir ! »[8]

Les Proverbes y font également référence : « L'huile et le parfum mettent le cœur en joie, et la douceur de l'amitié... »[9]

Combien de fois est-il arrivé qu'une femme ouvre les yeux après une intervention chirurgicale pour voir « l'éternel réconfort d'un visage », comme l'a écrit Matthew Roydon au XVIe siècle.[10] Cela peut être celui d'un conjoint, d'une mère, d'un père, d'un enfant, d'un ami, d'une infirmière attentionnée...

On n'a peut-être pas saisi dans toute leur ampleur les craintes de la femme qui reçoit un diagnostic de cancer, ni celles des membres de sa famille et de ses amis. Presque toutes trouvent difficile d'aborder le sujet et de parler aux autres de ce qui leur arrive. Elles trouvent cela terrifiant. Bien sûr, cela peut être embarrassant – mais c'est avant tout effrayant. Parler de la maladie, du diagnostic et du pronostic peut être très douloureux. Des professionnels offrent de l'aide, mais c'est en fin de compte la personne atteinte qui détermine le degré du soutien qu'elle est prête à accepter. Voici quelques exemples des questions qu'elle se pose :

---

8. William Shakespeare, *Œuvres complètes*, volume 1 : *Henry VI*, partie II, acte II, scène 1 (Paris : Éditions Gallimard, 1959), p. 249.
9. (Les Proverbes 27,9), *La Bible de Jérusalem*.
10. Matthew Roydon, *The Phoenix Nest* (1593).

- « Mais qu'est-ce que je vais bien pouvoir dire à mon mari, mon conjoint, ma mère, mon père, mes enfants ? »

- « J'ai tellement peur… que va-t-il se passer maintenant ? »

- « Comment vais-je faire pour supporter la douleur ? Comment vais-je gérer tous les détails ? »

- « Qui est le pathologiste qui examinera mon corps nu après ma mort, étendu sur une grande table d'aluminium froide, dans un quelconque sous-sol d'hôpital glacé ? Qu'est-ce qu'il pensera ? Qui m'habillera pour la dernière fois ? Qui me poussera dans le crématorium d'un geste indifférent ? »

Stephanie Saraco écrit :

Celle dont la vie a été touchée par cette maladie connaît bien la peur et la douleur qu'elle provoque en elle et chez les membres de sa famille… J'ai trouvé vraiment pénible de voir ma mère de 72 ans porter mes sacs d'épicerie alors que c'est moi qui aurais dû le faire pour elle. Il lui arrive parfois de pleurer – de me dire qu'elle souhaiterait être à ma place.

Mais je suis contente que cela me soit arrivé à moi. J'aurais trouvé encore plus difficile de voir un être cher traverser cet enfer. Mais bon, permettez-moi de vous raconter mon histoire. J'ai été musicienne, chanteuse et auteure-compositrice toute ma vie. J'ai commencé à l'âge de 12 ans. Mon premier concert avec cachet ! Et je n'ai plus jamais arrêté. J'ai toujours travaillé dans l'industrie de la musique.

Je me suis mariée à l'âge de 23 ans avec un homme qui n'a pas su partager mes rêves et mes ambitions. Nous avons eu deux enfants, deux merveilleux enfants pourrais-je ajouter, et notre mariage malheureux a duré 22 ans. Je chantais pour gagner ma vie, dans des boîtes de nuit et à des mariages. Je travaillais pendant les week-ends et j'arrivais tout de même à être présente pour élever mes enfants.

Mais je n'exploitais pas pleinement mes talents. Plus mes enfants grandissaient et devenaient indépendants, plus mon désir de faire un retour dans l'industrie du disque grandissait lui aussi. J'ai recommencé à écrire et à œuvrer dans le réseau de la production. Les gens ont commencé à me remarquer et ma carrière a pris un nouveau départ. Je suis

devenue la gérante de jeunes artistes et je leur ai trouvé quelques contrats d'enregistrement.

Ce qui restait de mon mariage s'est effondré, non pas parce que je me concentrais uniquement sur mon travail, mais parce que les problèmes de jeu de mon mari avaient commencé à nous détruire sur le plan financier. En gros, nous vivions chacun de notre côté. Nous avons donc convenu de nous séparer.

J'avais toujours eu des problèmes avec mes ovaires. J'avais subi une première intervention chirurgicale deux jours après ma lune de miel. J'ai été suivie année après année par le même gynécologue. J'avais le sentiment qu'il connaissait bien mon corps et qu'il prendrait toutes les mesures préventives nécessaires.

Après des années pendant lesquelles j'ai souffert de kystes douloureux, de fibromes et de saignements anormaux et excessifs, j'ai demandé qu'on me fasse une hystérectomie. Il m'a plutôt prescrit des contraceptifs oraux en disant que cela me protégerait. Ma cousine est morte du cancer des ovaires et j'ai réitéré ma demande. Il m'a dit que je me portais très bien, que c'était inutile d'en rajouter. J'étais fidèle à mes rendez-vous à tous les six mois, je passais mes mammographies et je me sentais bien ; mes saignements étaient maîtrisés. Et ma vie avait changé – j'étais occupée à voyager, à concrétiser mon rêve.

Le soir qui a précédé l'échographie qui allait m'amener au bloc opératoire pour une chirurgie de réduction tumorale, je me trouvais dans une limousine avec le président d'une importante maison de disques. J'avais l'estomac si ballonné que j'avais été incapable de toucher à l'excellent repas qui nous avait été servi. J'étais satisfaite du déroulement de notre rencontre, mais je sentais que quelque chose allait vraiment de travers en moi.

J'ai pris la décision d'aller voir mon gynécologue dès le lendemain. Il a senti une masse. Il a pris ma température et m'a aussitôt envoyée à la salle d'échographie. Le radiologiste a dit que j'avais plusieurs kystes et qu'ils étaient probablement infectés. Mon médecin m'a donc prescrit des antibiotiques. Pas d'analyse sanguine. Pas de CA-125. Il m'a demandé de lui téléphoner chaque jour, et le lundi suivant, je lui ai dit que j'avais de la difficulté à respirer. On m'a fait une autre échographie qui a révélé une augmentation de la quantité d'ascite dans mon abdomen. Jusque-là, *personne ne m'avait parlé de ce liquide. (Auparavant, mon médecin m'avait expliqué que le gonflement de mon ventre était dû à des gaz)!*

Mon médecin m'a dit qu'il m'envoyait consulter un oncologue. J'ai pensé m'évanouir. J'ai eu du mal à conserver mon équilibre lorsque le mot « cancer » a pénétré dans mon esprit. J'étais en compagnie de mon père. Il avait eu un cancer de la prostate et la maladie avait été maîtrisée. Je lui ai dit qu'il nous fallait aller directement au bureau de l'oncologue. Il a pâli mais il a gardé son calme. Plus tard, lorsque le diagnostic a été confirmé, il a pleuré comme un bébé, me disant à quel point il s'était senti seul lorsque cela lui était arrivé. Il n'arrivait pas à croire qu'il me faudrait vivre la même chose. Et voilà que c'était moi qui le consolais, qui lui disais que tout irait bien. Mais en réalité, nous n'en savions rien.

L'oncologue m'a dit de me présenter à l'hôpital le lendemain matin et que je serais opérée le jour même. Il ne m'est pas venu à l'esprit de consulter un autre spécialiste, et personne ne m'a parlé de cette possibilité. Je me retrouvais donc entre les mains d'un chirurgien dont je venais tout juste de faire la connaissance. J'ai eu beaucoup de chance car il a fait du beau travail.

Pendant mon hospitalisation, mon frère et sa femme ont fait de nombreux appels téléphoniques afin de trouver le meilleur centre de soins. Ils m'ont obtenu un rendez-vous pour la semaine suivante au Memorial Sloan-Kettering.

J'étais encore sous le choc du diagnostic et j'étais loin d'avoir surmonté le traumatisme de la chirurgie. Je commençais, trop tard, à faire mon éducation sur le cancer ovarien avancé de stade IIIc.

Au centre de soins, on m'a dit que ma maladie était incurable, mais qu'un protocole très prometteur faisait l'objet d'essais cliniques. Je me suis portée volontaire. Mon premier test sanguin CA-125 a indiqué un taux de 153. Après le premier cycle de traitement, il avait chuté à 36. Les médecins étaient heureux que mon organisme réagisse aussi rapidement et j'ai terminé mes traitements en décembre.

Il y a trois semaines, mon taux de CA-125 était de 3. Ma vie ne sera plus jamais la même, tout comme celle de ma famille. La plupart des gens m'ont apporté leur appui, mais certains ont changé d'attitude

envers moi, ne voulant pas voir les choses en face. Ils se sentent mal à l'aise à l'idée de parler de ma maladie. Cela m'attriste mais je comprends. Parfois, j'ai moi-même de la difficulté à affronter ma propre angoisse à l'idée d'une récidive. Mais je me sens très bien et de nombreux éléments plaident en ma faveur : chirurgie optimale , ganglions négatifs et réponse immédiate au traitement.

Bien que mes mains et mes pieds soient souvent engourdis et que j'aie peur de temps en temps, le ciel me paraît plus bleu, l'air plus pur et la musique plus douce. Je suis tellement heureuse d'être en vie.

Je ne sais pas si mon histoire aidera quelqu'un, mais les femmes ont besoin de comprendre ce qui arrive à leur corps et doivent savoir que des choix s'offrent à elles. Elles doivent prendre part à la prise de décisions au sujet de leurs traitements. J'ai choisi de ne pas subir de laparotomie de second regard. J'ai choisi d'accepter le fait que j'avais reçu davantage de médicaments que lors d'un traitement standard. J'estime que mon corps a suffisamment connu l'enfer. Je suis en rémission et je veux prendre le risque de ne rien tenter de plus – même si cela va à l'encontre du protocole de l'hôpital. Je ne veux tout simplement pas sacrifier ma qualité de vie. J'aurai peut-être de la chance, seul Dieu le sait. Mais c'est mon choix.

Le témoignage de Stephanie fait état de nombreuses questions liées au réconfort et au soutien. Lorsqu'elle a reçu son diagnostic, c'est elle qui a dû réconforter la personne qui était là pour lui apporter son soutien, son père. Il y a tant de gens autour de nous qui tentent de nous réconforter que nous avons de la difficulté à réaliser ce qui nous arrive. Un diagnostic de cancer est souvent suivi d'un épisode de crise et de profonde détresse psychologique.[11]

«De fait, la majorité des gens disent qu'ils n'avaient jamais eu à relever un défi aussi énorme et intimidant. Lorsque nous songeons à toutes les crises que nous avons traversées (problèmes conjugaux, problèmes financiers, problèmes professionnels ou problèmes

11. Robert Buckman, M.D., *What You Really Need to Know about Cancer*, Toronto : Key Porter Books, 1995, p. 288.

familiaux), elles nous semblent presque toutes insignifiantes en comparaison d'un diagnostic de cancer », écrit le Dr Robert Buckman.[12]

Un diagnostic de cancer a un impact considérable sur les membres de la famille. Et il va sans dire qu'un diagnostic de cancer des ovaires peut être terrorisant pour les filles de la personne atteinte. Rebecca Fisher, 19 ans, nous parle de l'angoisse qu'a fait naître en elle le diagnostic de sa mère, Marjorie. Toutes deux vivent dans le sud-ouest de l'Ontario.

J'étais en 8e année lorsque ma mère a reçu un diagnostic de cancer. J'avais 14 ans et au lieu de me réjouir à l'idée de terminer ma dernière année à l'école publique, je me suis retrouvée dans l'univers le plus triste et le plus terrifiant qu'il m'avait jamais été donné de connaître.

Un jour, quelqu'un m'a dit : « Il a fallu que tu grandisses si vite. » Je crois que cette remarque résume la situation. Avoir un parent malade est très difficile, et à 14 ans, je ne savais pas quoi faire.

J'ai maintenant 19 ans, et ma mère est de nouveau malade. Et je ne sais toujours pas comment faire face à la situation. Toutefois, je sais qu'il est essentiel d'avoir une attitude positive. C'est en restant positif et optimiste qu'on garde le moral. Mais ce n'est pas suffisant.

La famille et les amis sont sans conteste ce dont une personne a besoin lorsque sa vie bascule. Les membres de notre famille et nos amis nous ont apporté un soutien formidable. Cela nous a vraiment aidé dans les moments difficiles. La famille et les véritables amis restent à nos côtés, quoi qu'il arrive; et je leur en suis très reconnaissante.

Karen Vajanyi Williams vit à Vero Beach, en Floride. Dans son courriel, elle écrit : « J'espère que vous vous souviendrez de moi... Je serai diplômée de l'école d'infirmières dans une semaine et j'espère être en mesure de renseigner tout le monde sur cette terrible maladie. Et aussi raconter comment elle a emporté quelqu'un que

---

12. *Ibid.*

j'adorais. Voici un bref résumé de l'histoire de ma mère, Eva. J'espère qu'elle vous sera utile. »

Oui, Karen.

 Eh bien, cela fait environ sept mois que j'ai perdu la plus belle et la plus merveilleuse personne du monde. Je me rappelle que maman m'a téléphoné, il y a seulement quatre petites années, pour m'annoncer qu'elle avait une tumeur cancéreuse. Comme on ne pouvait rien faire pour elle dans sa ville natale, elle devrait aller se faire soigner dans un grand hôpital, à une heure de route de chez elle.

Elle s'était plainte de douleurs dorsales pendant environ deux semaines. Son médecin de famille, qui la suivait depuis de nombreuses années, a diagnostiqué une élongation musculaire. Il ne s'est absolument pas rendu compte qu'elle avait une grosse tumeur. Il lui a prescrit de l'acétaminophène. Mais la douleur est devenue insupportable. Les médecins ont alors prescrit une échographie qui a révélé la présence d'une tumeur pelvienne. Il se trouve que c'était un cancer des ovaires.

Le mot cancer est en lui-même plutôt effrayant, mais le cancer des ovaires est un assassin silencieux qui s'attaque à des femmes innocentes. Ma mère avait rendez-vous la semaine suivante avec un médecin d'Orlando, mais elle avait de plus en plus mal. J'ai téléphoné à son médecin et il l'a immédiatement fait admettre à l'hôpital. C'était un dimanche – combien de médecins auraient fait ça? Nous remercions Dieu de nous avoir donné un médecin aussi bienveillant.

Notre famille est très unie et nous avons tous accompagné ma mère – mon père, mes trois frères et moi ! L'examen n'a duré qu'une minute et le médecin a fixé l'intervention chirurgicale au lendemain.

Je me rappelle quand le médecin nous a rassemblés dans une pièce, après la chirurgie, pour nous annoncer que ma mère avait une masse de 4 centimètres de diamètre et que la tumeur était cancéreuse. Chacun de nous en a eu le cœur chaviré. Il nous a dit que la chimiothérapie serait nécessaire. Les infirmières du service d'oncologie ont été très gentilles. Je suis restée aux côtés de ma mère et je ne la quittais que pour aller chercher ce dont elle avait besoin.

Ma mère croyait que l'esprit et le corps ne font qu'un. Elle était professeure de tai-chi et elle pensait que la méditation pouvait jouer un rôle bénéfique dans son traitement. Je m'assoyais dans le corridor et je la laissais méditer et se préparer à ses traitements de chimio. Elle disait que cela l'aidait à préparer son corps à l'absorption des poisons destinés à tuer son cancer.

Quelques jours plus tard, elle a commencé à perdre ses cheveux. Elle m'a raconté que des touffes de cheveux lui tombaient sur les yeux alors qu'elle était au volant de sa voiture. Mon père et elle ont décidé de prendre les grands moyens. Ils ont ouvert une bouteille de vin et il lui a rasé la tête. Elle ne savait pas trop comment nous prendrions la chose, mais cela nous importait peu! Nous l'aimions avec ou sans cheveux.

C'est drôle, mais pendant la période où elle a suivi ses traitements de chimiothérapie, il m'arrivait parfois de ne plus me rappeler à quoi elle ressemblait avec ses cheveux. Elle était tout simplement belle!

Je me rappelle un jour où nous étions au service d'oncologie et que ma mère a croisé une femme qui suivait elle aussi un traitement de chimiothérapie. Elles se sont comparées afin de déterminer qui avait la plus belle tête...

Chaque fois que ma mère subissait une chirurgie, nous détestions entendre ces mots atroces : « C'est encore cancéreux. » J'ai accompagné ma mère à tous ses rendez-vous médicaux et lors de tous ses séjours à l'hôpital. Je suis toujours restée à ses côtés. J'avais parfois l'impression d'en faire trop, mais c'était plus fort que moi. Toutes les infirmières nous connaissaient : « Voici l'équipe mère-fille qui arrive! » Ma mère disait que j'étais son ange et que j'avais le don de l'apaiser. Maintenant, c'est elle qui est mon ange et qui veille sur moi du haut des cieux.

Pendant plus de quatre ans, nous avons vécu dans un tourbillon d'interventions chirurgicales, de chimiothérapie et de rendez-vous chez le médecin. Elle n'a jamais baissé les bras. Ma mère était une femme très fière et elle n'a jamais voulu qu'on ait pitié d'elle. Elle aurait détesté que quelqu'un dise : « Oh, je suis désolé. » On aurait dit que cela ne la gênait pas d'être chauve. Elle n'a jamais porté de perruque parce que cela lui donnait des démangeaisons. Elle disait que c'était comme enfiler des jeans avec une repousse de quelques jours sur les jambes. Berk! Elle a plutôt opté pour des bandanas et des chapeaux!

La dernière intervention chirurgicale qu'a subie ma mère a été la pire. Tout ce qui pouvait mal tourné a mal tourné. Bref, si vous avez le choix, ne vous faites jamais opérer un vendredi. C'était la première fois que ma mère disait qu'elle ne s'en sortirait pas. Savait-elle quelque chose qui dépassait notre entendement?

Son médecin a proposé que nous allions à Washington pour un traitement expérimental. Ma mère a pensé qu'elle pourrait peut-être ainsi aider d'autres personnes en participant à cet essai clinique. Ce séjour au National Institute of Health s'est révélé salutaire. Les gens qui y travaillent sont attentionnés et compatissants. Plusieurs d'entre eux avaient un membre de leur famille qui avait souffert du cancer.

Après deux mois d'examens et de traitements de toutes sortes, les spécialistes ont fait preuve d'honnêteté et nous ont annoncé que le cancer s'était propagé partout dans le corps de ma mère. C'était le moment de prendre la grande décision. C'était à ma mère de le faire et nous ne sommes pas intervenus. Je me rappelle que c'est la seule fois où nous avons pleuré ensemble à cause de son cancer.

Étrangement, elle était davantage préoccupée par la perspective de laisser tomber les médecins et les chercheurs que par l'idée de mourir... Je n'ai jamais vu autant de médecins, d'infirmières et de travailleuses sociales pleurer lorsque ma mère leur a dit qu'elle voulait rentrer chez elle. Une infirmière m'a dit qu'elle avait vu bien des gens défiler à l'institut mais que personne ne l'avait émue autant que ma mère.

Quelques infirmières ont ri parce que nous avions transformé notre fourgonnette en mini-ambulance pour notre retour à la maison. Elle ne voulait pas prendre l'avion – ma mère adorait les longs voyages sur la route! Le matin où nous avons quitté l'hôpital, nous lui avons fait une surprise : son plus jeune frère et mon frère aîné allaient faire le voyage avec nous. À la maison, mon père et mes autres frères s'apprêtaient à l'accueillir.

Je savais que ce serait le dernier voyage que je ferais en compagnie de ma mère. Je m'étendais à ses côtés à l'arrière de la fourgonnette et j'espérais qu'elle tiendrait le coup car elle avait très envie de se retrouver chez elle.

À notre arrivée, elle était si fière de franchir le seuil de la maison – sur ses jambes et non dans un fauteuil roulant. Elle n'avait jamais voulu l'utiliser. Nous avons fait en sorte qu'elle puisse voir tous les amis et les parents qu'elle souhaitait voir.

Elle m'avait dit des années auparavant qu'elle voulait être entourée des siens, et aussi qu'on ne se souvienne pas d'elle comme d'une femme malade. Donc, lorsque les parents et amis venaient lui rendre visite, je leur disais de la regarder droit dans les yeux et de ne pas s'attarder à son corps que le cancer avait ravagé. Ses yeux nous montraient à quel point elle était belle.

Et puis, nous nous sommes enfermés chez nous : mon père John, mes frères John, Andrew et Jimi, et moi, Karen. Les seules personnes autorisées à pénétrer dans la maison étaient l'infirmière de l'unité des soins palliatifs et le prêtre. Ma mère méritait de mourir dans la dignité et nous lui avons donné cette possibilité. Nous étions toujours à ses côtés et nous tentions de répondre à tous ses besoins et désirs. Je regrette seulement de ne pas lui avoir dit au revoir. Mais j'ai compris plus tard qu'il n'est pas nécessaire de dire au revoir avec des mots.

C'est étrange, mais il y a tellement de gens qui tiennent la vie pour acquise. Ils pensent que rien ne leur arrivera jamais et que la vie sera toujours pareille. Mais on peut se réveiller un jour et découvrir que toute notre vie vient de changer lorsque la personne que l'on aime le plus pousse son dernier soupir.

Lorsque ma mère a décidé qu'elle en avait assez et voulait partir, nous avons respecté son désir. Elle avait vu sa mère mourir d'un cancer du sein et de la maladie d'Alzheimer. Ma mère ne voulait pas que sa famille assiste à un tel spectacle et elle ne voulait pas endurer pareilles souffrances.

Nous avons la chance d'être une famille très unie. Mon père a tendrement pris soin de ma mère et je me demande parfois où il en a trouvé la force. Bien sûr, c'est moi qui l'accompagnais à ses rendez-vous, qui la veillais à l'hôpital et à la maison pendant la journée. Mais c'est mon père qui a vécu un véritable enfer en se faisant ravir la femme qu'il aimait tant par un cancer aussi silencieux, une maladie qui ne fait que murmurer. Ma mère n'a jamais voulu être oubliée, alors je vous en prie, rappelez-vous son nom : Eva Lynn Kosch Vajanyi. Elle voulait que les *autres soient informés de cette terrible maladie. Plus de 300 personnes ont assisté à ses funérailles. Nous avons distribué des rubans bleu sarcelle et de la documentation sur le cancer des ovaires.*

Les saisons passent, tout comme les vacances, et parfois il semble que les choses s'améliorent. Et puis le « vide » prend soudain toute la place et j'ai alors de la difficulté à respirer. J'ai entendu dire que nous sommes sur la terre pour faire provisions de souvenirs heureux que nous emporterons avec nous au paradis. Si c'est vrai, alors ma mère est partie avec une bonne collection de souvenirs, tout comme nous le ferons, nous, sa famille.

Je viens tout juste d'obtenir mon diplôme d'infirmière. Ma mère était si fière de moi et voulait que je termine mes études. J'avais dû les mettre de côté pendant de nombreuses années afin de m'occuper d'elle. Je ne l'ai jamais regretté, pas une seule minute. Ce retour aux études a été difficile, mais cela m'a aidée de savoir qu'elle y tenait. Elle voulait que je devienne la meilleure des infirmières et que je fasse connaître le cancer des ovaires au plus grand nombre de gens possible. La dernière année a été difficile pour moi, mais je sais que je vais tenir le coup.

Je m'arrête parfois en souhaitant qu'elle soit à mes côtés en chair et en os, mais je sais qu'elle ne me quitte pas une minute, pas une seconde. Je vous en prie, n'oubliez jamais son nom et, surtout, faites-vous examiner chaque année, car le cancer des ovaires s'installe dans un murmure.

Malheureusement, ce ne sont pas toutes les familles qui arrivent à exprimer aussi ouvertement leurs sentiments et leurs émotions. Parfois, même l'aide professionnelle n'arrive pas à combler le gouffre qui sépare les membres d'une même famille. Le témoignage qui suit raconte l'histoire de deux sœurs jumelles non identiques. Je leur ai donné des prénoms fictifs afin de protéger l'anonymat de la famille. Emily, l'auteure de cette lettre, vit à Edmonton, en Alberta. Sa jumelle, Marg, habite non loin de la Silicon Valley, dans le nord de la Californie.

Le 30 janvier 1999, ma jumelle Marg a été emportée par le cancer des ovaires. Elle s'était battue pendant deux ans après la découverte de la tumeur. Avant ce diagnostic, la vie de Marg avait été marquée par la douleur et toute une batterie de tests. On lui avait dit qu'elle souffrait d'ulcères et d'une œsophagite ; c'était très douloureux. Elle avait subi un examen gynécologique et personne n'a compris pourquoi on n'avait pas détecté la tumeur à ce moment-là. Marg était très mince – c'est à peine si la taille 2 lui allait ; la masse n'était donc pas noyée dans la graisse.

Marg avait toujours tendance à remettre les choses à plus tard et elle se disait que la douleur finirait par disparaître si elle l'ignorait. Elle était l'adjointe du chef de la direction d'une importante société d'informatique, et elle était très dévouée à son travail. Le fait qu'elle ait cherché à obtenir un diagnostic est la preuve que son état lui gâchait vraiment la vie.

Elle a découvert la masse en prenant un bain et puis elle a pu la voir alors qu'elle était allongée sur le dos dans son lit. Nous avons été nombreux à éprouver une grande colère parce que son cancer n'avait pas été diagnostiqué plus tôt. Elle me téléphonait avant d'aller passer ses examens, et puis elle me rappelait pour me demander d'aller la voir. Elle m'a aussi demandé de l'aider après l'intervention chirurgicale. Inutile de dire que j'étais prête à faire tout ce qu'elle voulait.

Marg était une femme très indépendante et elle avait rarement « besoin » de quelqu'un. Après une courte discussion, j'ai réussi à la convaincre de m'accueillir chez elle pendant deux semaines. Le jour de l'intervention m'a paru affreusement long. Son mari m'a téléphoné vers 22 heures pour me dire qu'il s'agissait d'un cancer des ovaires au stade IV et que le traitement de chimiothérapie serait entrepris avant qu'on lui donne son congé de l'hôpital.

Lorsque je suis arrivée chez eux après avoir été retardée pendant des heures à l'aéroport, elle était installée dans la bergère à oreilles de la salle de séjour. Elle était blême mais s'efforçait de se comporter normalement. Elle avait une fille de 12 ans qui n'était pas encore au courant. Marg disait qu'elle lui parlerait de sa maladie en temps et lieu. Il était difficile de garder le secret car son fils adulte avait fait tout le trajet en voiture depuis le Michigan afin d'être avec elle – et ce, au mois de janvier. La maison était inondée de fleurs, et certaines avaient dû être mises à l'extérieur car leur odeur donnait des nausées à Marg.

Sue sentait qu'il se passait quelque chose et elle s'est de plus en plus repliée sur elle-même. Je pensais qu'il aurait mieux valu lui dire la vérité, mais cela ne me regardait pas. Marg se déplaçait comme si elle n'avait pas mal. J'avais moi-même eu deux opérations au dos et je n'en revenais pas qu'elle puisse bouger aussi aisément. Mais ça, c'était Marg!

Elle était résolue à ne pas se laisser vaincre par la maladie. Elle avait une fille à élever, deux enfants adultes qu'elle chérissait, et un mari aimant, sans compter un merveilleux travail qu'elle adorait. Elle a essayé tous les traitements de chimiothérapie d'association. Elle était malade la majorité du temps, mais elle a continué à travailler. Elle avait de superbes perruques que nous lui avions achetées juste après son opération. J'ai même essayé une perruque blonde pour la faire rire! Car je suis aussi brune qu'elle est blonde.

Son patron a dit que la majorité de ses collègues ignoraient qu'elle était malade. Elle était professionnelle jusqu'au bout des ongles, et son travail lui permettait de garder un lien avec son ancien monde et de se plonger dans autre chose que son combat contre le cancer. Son patron était une source d'énergie pour elle, une qualité remarquable chez un supérieur.

Elle n'avait voulu personne d'autre que sa sœur aînée et son mari à l'hôpital lorsqu'elle avait été opérée. Toutefois, elle s'est réveillée un soir après un traitement de chimio et son patron était là. Il la connaissait bien et il avait décidé que c'était la « bonne chose à faire ». Je crois qu'il est l'une des rares personnes à qui elle a laissé « paraître » sa peur et ses émotions.

Les deux années qui ont suivi ont été difficiles. Marg voulait vivre sa vie au maximum. Six mois après sa chirurgie, elle est allée à Hawaï en compagnie de son mari et de Sue. Ils sont également allés au théâtre à San Francisco. Son travail exigeait des déplacements et elle les faisait. Un jour, elle m'a appelée pour me demander de l'accompagner en Europe où elle allait organiser les réunions du printemps suivant.

Cela a été pour moi le début d'un combat solitaire. Marg était toujours aussi professionnelle, toujours sur son trente et un. Elle était vive et dynamique avec les nombreux professionnels que nous avons rencontrés en Europe, mais lorsque nous nous retrouvions seule, elle redevenait silencieuse et distante. Mon besoin de communication était accueilli avec réserve. J'avais l'impression de faire le plus beau voyage de ma vie avec une étrangère.

Elle avait une bosse douloureuse sur le dos et elle m'a une fois demandé d'y mettre un analgésique. Je ne savais pas qu'elle en avait découvert une autre près de sa cage thoracique. Elle me traitait comme une étrangère et j'en souffrais. Tout comme notre mère, Marg pouvait se montrer taciturne. Je ne pouvais que garder mes distances et souffrir en silence.

Ce ne sont pas toutes les familles qui arrivent à partager intimement leurs sentiments. Même si Marg et moi étions jumelles, nous étions différentes à presque tous les égards. J'avais déjà été malade et j'avais appris à faire confiance à mon corps et à parler ouvertement de questions médicales. J'avais passé plusieurs années à lutter contre l'alcoolisme et j'avais été suivie par un psychothérapeute après la mort accidentelle de mon jeune fils.

Ma sœur ne discutait pas de ces choses ouvertement ; elle gardait tout à l'intérieur. J'ai tenté plusieurs fois de l'amener à se confier à moi, mais je finissais toujours par trouver que ce que je disais était bête. Dès qu'elle semblait sur le point de s'ouvrir, elle se refermait aussitôt et changeait de sujet. C'était une attitude totalement opposée à celle qui aurait été la mienne. Je me sentais inutile.

En décembre, elle m'a suppliée de me rendre chez elle le plus rapidement possible, car elle se sentait très mal et souffrait de diarrhée et de nausées. Elle avait cessé de travailler et de conduire sa voiture en octobre. Quatre heures plus tard, j'étais dans l'avion. J'étais un peu nerveuse car j'avais très mal au dos et je me demandais si je serais à la hauteur. Nous avons beaucoup parlé le premier soir, et puis elle m'a dit qu'elle ne voulait plus jamais aborder le sujet.

Marg suivait un traitement de radiothérapie pour ses tumeurs au cou et au cerveau. Elle était extrêmement faible.

Il y avait beaucoup de colère dans la maison, d'abord chez sa fille qui se refermait sur elle-même, et puis chez son mari dont le comportement passait de la passivité à l'agressivité. C'était comme si un éléphant s'était trouvé dans la pièce et que tout le monde le contournait en prétendant ne pas le voir. Marg était résolue à vivre un beau Noël, et j'étais donc très occupée avec sa liste d'emplettes et l'entretien de la maison, sans compter que je tenais lieu de conductrice pour Sue. Des amis venaient lui rendre visite et je m'efforçais alors de m'occuper ou d'aller faire des courses afin de lui laisser un peu d'intimité.

Nous avons passé un beau Noël et nous l'avons enregistré sur vidéo. Ce matin-là, elle a cuisiné ses omelettes traditionnelles, elle s'est maquillée et a mis une perruque, et elle est restée éveillée la majeure partie de la journée. Toute sa famille était là et c'était un grand plaisir pour elle !

En janvier, son état s'est nettement détérioré. Son mari a quitté son emploi temporairement mais il ne faisait que tourner en rond dans la maison. Un samedi soir, alors que nous étions seuls tous les trois, elle a commencé à avoir beaucoup de difficulté à respirer. Elle m'a demandé de tenir le combiné du téléphone pour elle, et après une longue attente, on lui a envoyé une ambulance et une équipe de soins auxiliaires. Son mari voulait la conduire à l'hôpital, mais elle voulait absolument s'y rendre en ambulance.

Je me suis attelée à rassembler tous ses médicaments. Un infirmier m'a demandé des renseignements à son sujet et il été étonné de constater à quel point j'en savais long... et aussi d'apprendre qu'une personne aussi différente de Marg puisse être sa jumelle. Cela a été étrange de voir les infirmiers partir avec Marg alors que son mari rentrait dans la maison en disant vouloir être seul quelque temps. Et puis, ses filles sont arrivées et leur visage a blêmi en voyant le fauteuil vide. Le mari de Marg et leur fille aînée sont partis à l'hôpital et je suis restée à la maison avec Sue.

Pour une raison ou pour une autre, j'avais compris que mon rôle était celui de la gardienne, mais ce n'était pas réconfortant car je me sentais exclue. Émotionnellement parlant, j'aurais voulu jouer un rôle dans le processus. J'aurais voulu monter à bord de l'ambulance avec Marg, mais cela n'aurait pas été approprié. Marg avait dressé un mur autour d'elle et je sentais que je n'avais pas le droit de lui imposer mes désirs. J'étais terrorisée à l'idée de la perdre.

Deux jours plus tard, Marg a demandé à me voir. Elle m'a dit qu'elle n'avait plus que quelques semaines à vivre. Elle m'a demandé si je pouvais rester. «Bien sûr!», ai-je répondu. Elle m'a dit qu'on ne pouvait plus rien faire pour elle. Son mari et sa fille aînée étaient là. Je me suis mise à pleurer mais Marg m'a dit que ce n'était pas permis. Pouvais-je téléphoner à notre autre sœur au Québec et à notre tante, une religieuse, à New York, et leur demander de venir? «Bien sûr.» Ma visite n'a pas duré plus de 5 minutes.

Je suis sortie de la chambre en sanglotant, suivie de ma nièce. Nous sommes rentrées à la maison, nous avons pleuré, et puis nous avons commencé à dresser des plans. Le mari de Marg est rentré un peu plus tard et je suis allée chercher Sue à l'école. Lorsque Marg est revenue à la maison le lendemain, j'ai conduit Sue à son rendez-vous chez le dermatologue. Sue était maussade et silencieuse, mais je faisais comme si de rien n'était. Son médecin m'a fait venir dans son bureau pour m'expliquer les changements qu'il apportait à sa médication. Lorsque je lui ai demandé si l'urticaire de Sue pouvait être causé par le stress, le médecin a eu l'air surpris. Personne ne lui avait parlé de la maladie de Marg! La loi du silence avait été respectée.

Cela me mettait très mal à l'aise de devoir tenir ce rôle d'informatrice malgré moi. Et même si une bénévole de l'unité des soins palliatifs était là pour aider toute la famille, je me suis rendu compte que son aide avait été limitée aux questions d'ordre médical. Elle avait organisé une discussion familiale, nous demandant comment nous nous sentions, mais tout le monde s'était senti mal à l'aise.

Marg était dans sa chambre et elle avait peur de mourir seule ou d'avoir besoin de quelque chose. Nous avons donc installé un dispositif d'écoute à distance. Mais pendant la rencontre, aucun d'entre nous n'a voulu partager ses sentiments. Cela n'a absolument rien donné.

Marg était tellement faible qu'un soir elle m'a appelée pour que je l'aide alors que je passais dans le couloir devant sa chambre. Son mari avait décidé qu'elle devait être laissée seule. On nous avait dit qu'il était fréquent que le malade décède en l'absence de ceux qu'il aime. La préposée de l'unité de soins palliatifs ne réalisait pas à quel point notre famille avait de sérieux problèmes de communication.

Les filles de Marg et moi avions discuté de cette rencontre avec la préposée. C'était dommage que cela ne se soit pas mieux déroulé. Sue et le mari de Marg avaient assisté à une seule séance d'orientation. Sue restait fermée sur elle-même et était en colère contre nous tous. J'aurais tellement aimé lui parler, mais je savais qu'elle devait d'abord vouloir obtenir de l'aide.

J'ai quand même vécu un bon moment lorsque je suis allée à l'hôpital y chercher des médicaments que Marg avait oubliés. Soudain, j'ai éclaté en sanglots et une femme qui se trouvait derrière moi m'a prise dans ses bras et m'a consolée. C'était une bénévole. Je lui ai raconté que Marg nous avait interdit de pleurer et à quel point c'était difficile de lui obéir.

C'était merveilleux de pouvoir confier mon chagrin à quelqu'un. Dans toute cette histoire, tout le monde avait oublié que j'étais sur le point de perdre ma sœur jumelle. Nous avions tous beaucoup de peine et j'essayais de soutenir tout le monde, alors que personne ne m'apportait son soutien.

Ma tante a émis l'hypothèse selon laquelle Sue était en colère contre moi parce que sa mère était mourante : pourquoi n'était-ce pas moi ?

J'ai suivi de nombreuses séances de psychothérapie depuis la mort de Marg, mais la douleur est toujours là. Le jour de mon premier anniversaire sans elle, mon fils m'a fait une surprise en m'offrant des billets pour la nouvelle version d'Evita. Nous avions vu la version originale plus de 20 ans auparavant et nous avions adoré la musique... mais nous avions oublié la façon dont Evita mourait.

La fin de la pièce nous a rappelé de douloureux souvenirs, alors que la comédienne était assise dans une bergère à oreilles, complètement chauve et très pâle. J'ai eu l'impression de voir Marg et je me suis aussitôt mise à pleurer. Cela n'a peut-être pas été une erreur d'aller voir ce spectacle parce que pleurer m'a fait beaucoup de bien.

Il y a toujours de petites choses qui viennent raviver la douleur. Marg avait choisi le papillon monarque comme symbole de son esprit. Cette année-là, j'en ai trouvé un sur mon paillasson... ce qui est très étonnant puisque je vis dans un immeuble résidentiel !

Bien entendu, cela m'a donné un coup au cœur, j'ai senti ma poitrine se serrer, et puis mon esprit a fait comprendre à mon cœur que c'était un signe que Marg m'envoyait pour me dire qu'elle allait bien. J'ai ramassé le papillon et je l'ai plus tard offert à Sue. Une autre fois, alors que je faisais de l'époussetage, j'ai accroché le couvercle d'une petite boîte de porcelaine que Marg m'avait rapportée de Provence. Il y avait un papillon à l'intérieur!

Je ne suis pas certaine que cette histoire pourra aider quelqu'un. J'y parle surtout du fait que je suis une jumelle survivante et que je fais partie d'une famille à problèmes. Je suis célibataire et mon fils adulte vit avec moi tout en poursuivant ses études. Je suis capable de parler de mes sentiments, mais pas mon fils. Je peux toujours discuter avec des amis, mais c'est le temps qui passe qui aide le plus. Après les funérailles, j'étais rentrée chez moi remplie de colère à propos de tous les événements que j'ai déjà mentionnés. Mon médecin m'a expliqué que Marg en avait écrit le scénario et qu'elle avait pris la direction du plateau. Mais j'ai le sentiment que nous aurions tous pu bénéficier de l'aide d'un professionnel.

Un lien spécial nous unit, mon neveu et moi, car nous avons passé la dernière nuit avec Marg, tentant de la réconforter alors que son foie était la proie de spasmes et qu'elle avait des convulsions. J'appuyais sur le distributeur de morphine à toutes les 5 minutes.

J'ai toujours le sentiment d'avoir été tenue à l'écart lorsque je repense à tout ça, et le 25 mai, le jour de notre anniversaire, reste une journée difficile pour moi. On nous avait toujours appelées « les jumelles » même si nous avions passé loin l'une de l'autre la majeure partie de notre vie adulte. Il y avait tout de même un lien invisible qui nous unissait.

Mon témoignage est la chronique de mes sentiments, mais je veux aussi attirer l'attention sur le dépistage précoce et le traitement du cancer. Je pense que ce que notre famille a vécu ne s'inscrit pas dans la norme et que les bénévoles qui œuvrent dans les unités de soins palliatifs sont des gens hors du commun.

Il est malheureux que la bénévole qui s'est occupée de nous n'ait pas été plus sensible et perspicace. Notre famille était en crise, mais Marg orchestrait le spectacle et nous obligeait à souffrir en silence. C'est d'une grande tristesse, car alors que nous avions besoin de pleurer et de nous *accrocher l'un à l'autre, nous avons été isolés dans notre douleur. Peut-être que quelques leçons pourront être tirées de mon témoignage.*

Le Dr Bernie Siegel, dans son best-seller intitulé *L'Amour, la médecine et les miracles*, écrit qu'il ne faut pas tricher avec le diagnostic, qu'il est toujours possible de dire la vérité sur le ton de l'espoir puisque personne n'est sûr de l'avenir. Il ajoute que la santé n'est pas le seul but, ni pour le médecin ni pour le malade. Aider celui-ci à trouver la sérénité peut représenter une guérison en soi. «Il est beaucoup plus important d'apprendre à vivre sans peur, d'être en paix avec soi-même et avec l'idée de sa mort. Alors, il peut arriver qu'on guérisse et, de toute façon, on n'est plus menacé par l'échec (inévitable quand on croit pouvoir guérir tous les maux physiques et ne jamais mourir).[13]

La triste histoire d'Emily et de sa jumelle Marg illustre à quel point il est vital que le patient et sa famille trouvent de l'aide pour surmonter la douleur psychologique. La fille de Marg, âgée de 12 ans, devait être terrorisée par ce qui se passait autour d'elle – et personne ne lui a expliqué la maladie de sa mère.

Une publication de la *Société canadienne du cancer*, intitulée *Le temps qu'il faut*, donne quelques conseils sur la façon de surmonter l'épreuve en famille après un diagnostic de cancer :

- Le cancer est une épreuve terrible pour toutes les familles touchées. La façon de l'aborder dépend en grande partie des antécédents de la famille.

- Les problèmes familiaux peuvent être les plus difficiles à résoudre ; on ne peut pas les fuir en retrouvant la sécurité du foyer.

- L'adaptation aux nouveaux rôles peut causer de grands bouleversements dans les relations entre les membres de la famille.

- Le fait de devoir assumer trop de rôles à la fois compromet l'équilibre psychologique de l'individu ainsi que sa capacité de

---

13. Bernie Siegel, *L'Amour, la médecine et les miracles*, Paris, Éditions Robert Laffont, 1989, p. 69.

faire face à une situation donnée. Déterminez quelles tâches sont essentielles et laissez tomber les autres.

- Pensez à retenir les services d'infirmières ou d'aides familiales. Ces services sont peut-être coûteux, mais ils vous aideront à ménager vos forces, tant sur le plan physique que psychologique.

- Les enfants peuvent avoir besoin d'une attention spéciale. Ils ont besoin de réconfort, de sécurité, d'affection, d'orientation et de discipline dans ces moments où leur routine quotidienne est perturbée.[14]

Kathy Branton est répartitrice auprès de la police municipale de Toronto. Sa fille Lindsay avait 9 ans, et son fils Alex 5 ans, lorsqu'elle a reçu un diagnostic de cancer des ovaires. Elle admet avoir mal géré la situation avec ses enfants. « J'ai essayé de les tenir éloignés de ma maladie, mais je n'ai réussi qu'à les effrayer davantage. C'est donc quelque chose que je déconseille vivement aux gens. Il faut être honnêtes avec nos enfants. Ils sont bien plus intelligents que nous le pensons. »

Kathy est toujours en rémission et elle a lancé une campagne interne pour sensibiliser ses collègues de la police au sujet du cancer ovarien.

Je fais partie de ce service depuis un peu plus de 11 ans. Je réponds à tous les appels téléphoniques – appels d'urgence ou non – et j'assure la répartition de nos agents en fonction de ces appels. Notre service est en activité 24 heures par jour, 7 jours sur 7, et ce, toute l'année – il n'est jamais fermé pour cause de vacances. Trois quarts de travail se succèdent chaque jour. Ces horaires et le stress sont déjà suffisamment éprouvants... mais si vous y ajoutez un diagnostic de cancer, eh bien, ça ne peut qu'empirer les choses. C'est pour cette raison que j'ai voulu organiser un groupe de soutien à l'interne.

Il est vrai que nous faisons chaque jour face à des situations de vie ou de mort, mais comme elles ne nous touchent pas directement, il est

---

14. Société canadienne du cancer, *Le temps qu'il faut* (1985 ; revu en mars 2001), p. 15.

plus facile de les accepter et de garder le contrôle. Mais lorsqu'il s'agit de vous, c'est une tout autre histoire. Mes collègues m'ont beaucoup aidée et ont fait preuve de beaucoup de compréhension pendant ma maladie. Ils m'ont laissée pleurer lorsque j'en avais besoin et ils m'ont permis de me défouler lorsque j'en avais besoin aussi.

Mes horaires et le stress associés à mon travail ont également malmené mon mariage. C'est terriblement difficile lorsqu'on ne peut pratiquement pas voir l'être aimé pendant parfois plus d'une semaine. Lorsqu'on a découvert mon cancer, cela n'a fait qu'empirer les choses.

À cette époque, Richard, mon mari, pensait m'aider en me disant de ne pas m'inquiéter. Mais cela a eu l'effet contraire car j'ai eu l'impression qu'il ne se souciait pas de moi. Richard avait choisi d'affronter la situation en tentant de dissiper mes craintes... Cela a engendré beaucoup de problèmes entre nous. En fait, ce n'est que le jour où je suis sortie de l'hôpital qu'il a enfin laissé libre cours à ses émotions. Lorsqu'on a retiré mes points de suture et qu'on m'a donné mon congé, nous avons tous les deux éclaté en sanglots. C'était comme si nous venions d'avoir la confirmation que désormais tout irait bien pour moi. Nous avons pleuré pendant une bonne demi-heure.

Mais la tension est revenue quelques mois plus tard. Je suppose que Richard pensait que la vie reprendrait tout simplement son cours normal, comme si rien n'était arrivé. Bien entendu, c'était impossible pour moi parce que la vie... parce que je n'étais plus normale. Je ne serais plus jamais la même. La Kathy que j'étais en septembre 1998 était quasiment morte. Une nouvelle Kathy l'avait remplacée. Une Kathy qui était terrifiée à l'idée d'être de nouveau malade et de ne pas voir ses enfants grandir.

Et puis il y avait la sexualité! Eh bien, oubliez ça! C'était le dernier de mes soucis. Et cela aussi me faisait peur. Je n'étais pas particulièrement ravie d'avoir perdu tout intérêt pour le sexe à l'âge de 37 ans, ni de penser que je n'en connaîtrais plus jamais les joies! C'était là une grosse pierre d'achoppement. Mes traitements y ont été pour beaucoup. Je me sentais en quelque sorte comme une extraterrestre. Et plus Richard insistait... plus je reculais.

Je n'arrivais même pas à trouver le courage de me qualifier de survivante, car je n'avais pas l'impression d'avoir survécue. Je vivais dans un enfer où j'avais le sentiment d'être isolée de tous. Je n'avais plus de menstruations, et mes amies me disaient que je devrais m'en réjouir, mais cela ne faisait que m'attrister. C'était comme si on m'avait volé quelque chose. On ne m'avait pas donné le choix. On m'avait tout simplement enlevé une partie de moi-même.

Pendant longtemps, j'ai été incapable de regarder ma cicatrice. Je la détestais. Elle me rappelait sans cesse une épreuve que je ne voulais plus jamais traverser. Je me sentais parfois diminuée en tant que femme. Je n'avais plus de règles, je ne pouvais plus avoir d'enfants (le fait que j'avais eu une ligature des trompes après la naissance de mon fils n'avait rien à voir avec la situation présente), j'étais ménopausée et je me sentais complètement seule. En tout cas, c'est ce que je pensais. Mon thérapeute m'a parlé de Wellspring (un groupe de soutien de Toronto) et c'est grâce à cet organisme si je suis demeurée saine d'esprit. J'y ai rencontré d'autres femmes qui avaient connu les mêmes souffrances que moi. Cela m'a fait du bien de savoir que je n'étais pas seule.

J'ai appris l'existence de la National Ovarian Cancer Association et j'ai commencé à y faire du bénévolat. Cela aussi m'a fait du bien. Plus je m'activais à aider les autres, plus je me sentais bien. C'était comme si je transmettais mon savoir et mon expérience. En aidant les autres, j'avais le sentiment de ne pas avoir traversé tout ça en vain. D'une certaine manière, j'avais l'impression d'avoir été mise à l'épreuve afin de pouvoir aider les autres.

J'ai compris que le cancer n'est pas quelque chose que l'on découvre un matin pour s'en débarrasser le lendemain. On passe le reste de notre vie avec lui. Il ne disparaît jamais de notre esprit. Il plane toujours au-dessus de notre tête. Même après notre guérison, il est encore là. Il devient une partie de nous, de ce que nous sommes et serons jusqu'à la fin de notre vie.

Maintenant, je ne me présente plus comme étant Kathy Branton, survivante du cancer des ovaires, mais je sais que le cancer fait maintenant partie de ma vie et qu'il a à jamais changé ma perception du monde. Je chéris chaque jour, chaque but que compte mon fils, chaque étreinte, chaque lever de soleil. Ce sont là des choses réellement merveilleuses !

La lettre de Kathy, comme tant d'autres, aborde quantité de sujets. Kathy parle ouvertement de sexualité, un sujet qui est souvent tabou. Si vous souffrez d'un cancer, le sexe ne devrait pas vous intéresser, n'est-ce pas? À l'inverse, si vous êtes une survivante, tout devrait bien aller, n'est-ce pas? Non. Les survivantes du cancer ovarien sont nombreuses à se sentir asexuées. Ce n'est pas seulement parce qu'on nous a enlevé certains organes, mais qu'on nous a retiré les organes qui font justement que nous sommes des femmes, sexuelles et sensuelles. Cette amputation n'est pas uniquement physique, elle est aussi émotionnelle et psychologique.

LA SEXUALITÉ ET
LA RÉACTION DU PARTENAIRE

*I*l y a plusieurs années, l'*American Cancer Society* a publié une excellente brochure intitulée *Sexuality & Cancer – For the Woman Who Has Cancer and Her Partner* (Sexualité et cancer – Un guide à l'intention de la femme atteinte de cancer et de son partenaire). On y précise tout d'abord qu'il est fondamentalement impossible de définir ce qu'est une vie sexuelle « normale ». Alors que certains couples font l'amour tous les jours, d'autres n'ont de relations sexuelles qu'une fois par mois ; et pour chacun de ces couples, il s'agit d'une situation normale.

Les personnes atteintes de cancer perdent souvent tout intérêt pour le sexe. Les doutes, les peurs et les problèmes de santé étouffent souvent le désir. Cette brochure précise également que de nombreuses personnes croient que la sexualité n'intéresse que les jeunes. C'est faux ! Tout le monde, à n'importe quel âge, peut être sexuellement actif. Et même si les rapports sexuels sont impossibles, la proximité, le toucher, le jeu, la tendresse et le plaisir demeurent d'importantes facettes du partage de l'intimité.

Linda Barker m'a transmis une série de courriels dans lesquels elle parle de ses sentiments vis-à-vis de la sexualité. En voici des extraits :

> *Je ne sais absolument pas comment ma chirurgie a affecté ma sexualité parce que cela fait une éternité que je n'ai pas eu de relations sexuelles. Mais je peux tout de même dire que je n'ai plus la même perception de moi-même en tant qu'être sexué.*

Même si j'avais 47 ans au moment du diagnostic, la perte de mon utérus me chagrine beaucoup – non pas parce que je ne peux plus avoir d'enfants, mais parce que j'ai l'impression d'avoir perdu ce qui faisait de moi une femme. J'aimais bien avoir un utérus et des ovaires. Je ne les considérais pas comme inessentiels ou inutiles; j'aurais été moins affectée par l'ablation de ma vésicule biliaire ou de mon appendice ou de ma rate, ou de tout autre organe «jetable».

Je prends de l'œstrogène, mais je déteste appeler ça THS (traitement hormonal substitutif), parce que j'ai perdu bien davantage qu'un apport en œstrogène lorsque j'ai perdu mes organes reproducteurs. Mon corps a changé, ainsi que ma pilosité et ma masse musculaire, et tout cela m'angoisse... et puis ma libido a également changé. Cela m'importe peu que personne ne semble avoir envie de coucher avec moi; mais autrefois, j'aimais bien l'idée de coucher avec QUELQU'UN! Ce sont des sensations qui me manquent. C'est agréable d'être une femme sexuelle.

J'utilise le terme «asexuée» pour me décrire lorsque j'ai de la peine. J'ai de la difficulté à croire que ma vie sexuelle est terminée. Ça me fait chaud au cœur quand quelqu'un m'écrit ou me parle de son amoureux, de son futur mariage, d'un rendez-vous galant ou de toutes ces choses dont je ne rêve même plus... maintenant que je suis privée de ces hormones qui me permettaient autrefois de nourrir de tels rêves...

Je m'aperçois que j'ai des sentiments conflictuels à propos de la perte de mes organes et la perte des mes orgasmes. C'est peut-être comme cette histoire de la poule et de l'œuf – j'ai été très éplorée par la perte de mon utérus et de mes ovaires (et non par la disparition de mes tumeurs), et j'ai dû réévaluer la perception que j'avais de moi-même en tant que femme dans ce corps modifié...

Je comprends... je sais que le désir prend naissance dans l'esprit et qu'il n'est pas strictement hormonal. J'ai été mariée pendant longtemps à un homme qui ne me trouvait pas séduisante, ce qui m'a graduellement amenée à croire que je n'étais pas attirante sexuellement parlant (avant de faire sa connaissance, j'avais pourtant une tout autre opinion de moi-même). Toutefois, mon aptitude à être attirée par l'autre sexe est demeurée intacte (mais sans toutefois m'apporter de satisfaction – car j'étais monogame, ou non monogame, je suppose. Quel gaspillage! À quoi est-ce que je pensais)? Ma situation n'est donc pas des plus

réjouissantes – on m'a ignorée pendant des années, et puis il y a eu le cancer, et la perte des parties «féminines» de mon corps. Et ensuite, plus de libido.

Cependant, je ne crois pas que ma féminité et ma sexualité ne sont qu'une seule et même chose, bien qu'elles soient certainement étroitement liées. J'ai pleuré sur le peu d'attirance que j'exerçais avant même d'être mutilée. Je me suis apitoyée sur mon «asexualité» à l'époque où j'éprouvais encore du désir. Maintenant... puis-je encore être moi? Et est-ce que je pourrai finalement me satisfaire de ce que je suis?

Dans une autre série de courriels, Linda raconte qu'elle aimerait trouver un certain réconfort dans le fait de ne plus avoir de menstruations, de ne plus connaître «ces épisodes désagréables». Mais elle n'y arrive pas. Elle ne se console pas d'avoir perdu son utérus et ses ovaires. Cela lui pèse de ne plus avoir ce contact entre ses organes sexuels et sa sensualité. Voici ce qu'elle écrit à Jackie S. :

J'ai moi aussi la certitude que tout «ça» est terminé pour moi, mais comme cela fait des années que je n'ai rien connu de tel, même lorsque j'étais mariée, ce n'est pas nouveau. C'est comme si le cancer n'a été que le dernier clou planté dans un cercueil qui était déjà fermé depuis longtemps. Peu après avoir entrepris mes traitements de chimiothérapie, j'ai dit à ma thérapeute que si jamais quelqu'un avait envie de me fréquenter, ce serait certainement un nécrophile. Elle a frissonné.

Depuis, j'ai pris un peu de recul. Certains jours, je me regarde et je me dis : «Hé, je suis encore séduisante!» Ce qui veut dire que je l'étais encore davantage autrefois (même si mes cheveux étaient raides à l'époque)!

Et bien entendu, les examens recto-vaginaux que je passe régulièrement prouvent que C'EST TRÈS DOULOUREUX LÀ-DEDANS, et je suis donc maintenant très prudente côté fantasmes. Et comme mon oncologue ne juge pas approprié de me prescrire de la testostérone, j'ai de moins en moins de fantasmes. Et je ne suis pas la seule à pleurer ainsi mon utérus et mes ovaires.

Chaque fois que je rencontre une femme qui souffre d'un cancer gynécologique, elle me demande : «Vous ont-ils tout enlevé?» Je crois qu'il s'agit d'une préoccupation courante, méconnue du corps médical. Toute femme qui perd ses organes reproducteurs vit une sorte de drame, elle se sent vide. Et ce n'est pas une chose qui peut être remplacée par le THS! Je sais ce que veut dire être «asexuée», et le fait de toujours avoir un vagin pouvant être pénétré ne change rien à mes sentiments. Il faudrait pour cela que je me perçoive à nouveau comme entière et saine du point de vue sexuel.

Je déteste l'idée que ma sexualité m'ait été volée, par des agresseurs, par un mari indifférent, par le cancer, par le traitement médical et par mon âme meurtrie. Je lutte pour être une femme à part entière, mais c'est tellement difficile.

Ce n'est pas que je passe la majeure partie de mon temps à me lamenter. Au contraire, je chantonne et je ris plus souvent qu'autrement. Mais le cancer est une maladie qui se vit en solitaire, je suis seule, et je meurs d'envie de me faire câliner.

Et j'en ai ras le bol d'entendre mon médecin me dire que l'œstrogène peut à lui seul me permettre de demeurer un être sexué. D'après moi, le fait d'avoir des seins et un vagin, mais pas de libido, veut seulement dire qu'on peut me baiser. Mais je ne veux pas qu'on me baise. Je veux être capable de faire l'amour...

Cheryl Schmidt, une Américaine, a dû porter un fardeau supplémentaire. «Avant de souffrir du cancer, j'étais instructrice de conditionnement physique, entraîneure personnelle, et je faisais du culturisme. Après mon diagnostic, ma vie a changé du tout au tout. Mon apparence n'a plus autant d'importance. Ce qui compte maintenant, c'est la spiritualité, l'amour, la famille et les amis. Cela a été difficile pour moi, car pendant ma maladie, l'homme avec qui j'étais mariée depuis 27 ans a eu une aventure, est tombé amoureux de cette autre femme et il vit maintenant avec elle...»

Je sais que je vieillis et que mon corps change. Je ne me fais pas d'illusions. Nous vieillissons tous. Et la ménopause aurait tout de même mis un terme à l'activité de mes organes reproducteurs. Mais cela aurait été une transition naturelle; cela aurait été une aventure et non une épreuve, et j'aurais eu le temps d'apprivoiser ce changement et d'y trouver un moyen de m'épanouir.

Le cancer et la chirurgie m'ont privée de cette grâce.

Les bouffées de chaleur, surtout nocturnes, sont un phénomène fréquent chez les femmes jeunes qui connaissent une ménopause brutale. L'irritabilité et l'absence de libido peuvent être associées à ces bouffées de chaleur. Bien que l'hormonothérapie substitutive *puisse* être d'un certain secours, elle n'est pas toujours efficace. Le THS est disponible sous forme d'injections, de comprimés et de crème vaginale. Chez certaines femmes, ce traitement est contre-indiqué à cause du type de tumeur, et d'autres préfèrent ne pas prendre d'œstrogène synthétique.

L'huile d'onagre peut servir de substitut au THS. Elle est riche en acide gamma-linolénique, un précurseur de la prostaglandine E1, une substance qui intervient dans la régulation du système immunitaire et de l'activité hormonale.

Gail Sheehy dit que la ménopause est comme une « traversée silencieuse » dans la vie d'une femme. Mais celles qui sont atteintes du cancer des ovaires savent que cela n'a rien de silencieux : elle est fracassante, c'est comme si nous butions sur un mur en briques.

Dans sa brochure intitulée *Sexuality & Cancer*, l'*American Cancer Society* suggère aux femmes de regarder leurs organes génitaux externes, car cela pourrait les aider à mieux accepter la perte de leurs organes internes. Elle souligne que les femmes éprouvent souvent de la gêne à l'idée de regarder ou de toucher leurs parties génitales, mais que le fait de se familiariser avec elles et de les apprivoiser est parfois indispensable pour qui veut connaître le plaisir sexuel après un traitement anticancéreux.

Tenir un miroir entre vos jambes et examiner votre anatomie peut vous aider à reprendre contact, pour ainsi dire, avec votre corps.

Repérez les grandes lèvres, les petites lèvres, le clitoris, l'extrémité extérieure de l'urètre (par où s'écoule l'urine), l'entrée du vagin et de l'anus. Tâtez doucement chaque partie et découvrez les zones les plus sensibles. Si cela vous gêne ou si vous vous trouvez laide, arrêtez et essayez de refaire cet exercice quelques jours plus tard.

Les traitements anticancéreux peuvent provoquer une sécheresse vaginale. La lubrification peut alors être nécessaire pour faciliter les rapports sexuels. Utilisez un gel à base d'eau, sans fragrance ni colorant – tel le lubrifiant personnel K-Y^{MD}. N'utilisez pas de vaseline ni de lubrifiants à base d'huile car ils peuvent être à l'origine d'infections aux levures, très désagréables il va sans dire.

Sherry Pedersen vit au Colorado. Elle a 9 ans de survie à son actif. Elle dit que la sécheresse vaginale est véritablement un problème et que la radiothérapie a irrité son vagin. Elle écrit :

Ma sexualité a changé, c'est vrai, mais je ne peux pas en tenir pour seuls responsables le cancer, la ménopause forcée ou mon avancement en âge... Ma libido est plus faible mais j'ai toujours besoin de ce contact physique avec mon mari. Peut-être que, spirituellement, je recherche avant tout la chaleur et le réconfort.

Se regarder dans le miroir, se regarder *vraiment*, c'est-à-dire ne pas simplement jeter un regard furtif à notre image, c'est accepter les changements subis par notre corps. Bernie Siegel écrit : « En se souriant dans un miroir, on peut alléger sa tristesse, mais il ne faut pas tricher, car seul un vrai sourire deviendra un message signifiant pour le système nerveux. [...] La colère non exprimée est l'émotion la plus dangereuse pour l'équilibre psychologique. Au contraire, l'acceptation sereine de *ce qui est* favorise la santé, donne une vision claire des choses et de ce qui peut être changé. »

« Les rendez-vous galants étaient parfois tout un défi. La question était toujours la même: à quel moment devais-je leur annoncer que j'avais eu un cancer des ovaires? J'avais des

cicatrices sur l'abdomen ainsi que de petits tatouages qui avaient servi à marquer les zones à irradier pendant ma radiothérapie... Et puis, il y avait le fait que je ne pourrais jamais avoir d'enfants... Je craignais également que les relations sexuelles soient douloureuses à cause des adhérences... [Et puis Angie a fait la connaissance d'un homme exceptionnel]. Le mariage après le cancer des ovaires est donc tout à fait possible. Lorsqu'on est profondément amoureux, l'intimité n'est pas un problème. Si je me fie à mon expérience, la douceur et la compréhension sont essentielles à toute réelle complicité sexuelle. J'ai trouvé cette expérience très agréable et très excitante.»

ANGIE RANKIN

Patrick Boyer est l'un de ces maris qui a cheminé aux côtés de sa femme atteinte du cancer de la peau, du sein et des ovaires. Il est le fondateur de la *National Ovarian Cancer Association*, d'abord connue sous le nom de *Fonds Corinne Boyer pour la recherche sur le cancer des ovaires* (fondé à Toronto en 1996). Patrick est avocat et il est auteur de plus d'une dizaine d'ouvrages. Il a été membre du Parlement et candidat à la direction du parti progressiste-conservateur du Canada. Il est aujourd'hui professeur d'université. Il nous parle ici du rôle qu'a joué l'intimité dans son couple :

L'intimité entre un homme et une femme en tant que partenaires ne peut que s'approfondir s'ils vivent ensemble la peur et l'espoir, les hauts et les bas du combat contre le cancer.

Un diagnostic de cancer – qu'il soit du sein, des ovaires, du col utérin ou de l'utérus – peut soudainement révéler la véritable profondeur d'une relation. Lorsqu'il s'agit d'un cancer gynécologique, le foyer d'attention est naturellement la femme. Cependant, cette maladie met également son partenaire à l'épreuve, et ce, de bien des manières qui sont largement méconnues.

Une chose est sûre : le « caractère » d'une relation entre un homme et une femme devient plus pointu après le diagnostic. Toutefois, je crois que tout ce qui les unissait auparavant dans la vie demeure essentiellement inchangé. Ainsi, le respect mutuel, l'amitié et le soutien, la codépendance et l'indépendance se perpétuent. Mais chaque sentiment se trouve alors mis à l'épreuve et poussé à l'extrême. La perspective de la mort, même inexprimée, peut donner un nouveau sens aux choses et cristalliser les sentiments.

Les hommes ne doivent pas oublier que l'acier le plus fort est tiré de la partie la plus chaude du haut fourneau.

Parfois, l'homme réagit en partant tout simplement, en abandonnant sa femme au moment où elle a le plus besoin de son soutien. Étrangement, cela peut donner confiance en soi à la femme. Le départ de l'homme peut être la manifestation de la peur que lui inspire la mort, du manque de profondeur de la relation qu'il entretenait avec sa compagne, ou d'une panique absolue devant la réelle signification du vœu qu'il a un jour prononcé d'un ton léger : « Pour le meilleur et pour le pire, dans la maladie et l'adversité, dans la joie et l'allégresse, jusqu'à ce que la mort nous sépare. »

Je suppose que les problèmes préexistants, qui font désormais l'objet d'une véritable mise à l'épreuve, demeurent essentiellement inchangés. Ainsi, si une relation n'est pas réellement fondée sur l'amour, la perspective de faire face au cancer n'améliorera pas les choses, tout comme « avoir un bébé » ne sauvera pas un mariage qui part à la dérive.

Les hommes comme les femmes fuient les situations qui leur échappent ; l'homme peut demeurer physiquement présent mais se dérober par son comportement. Il peut tout simplement se fermer comme une huître alors que sa femme devient de plus en plus perplexe – confiant aux autres que son mari ne lui parle plus.

Ce ne sont là que des réactions bien humaines chez celui qui se sent impuissant et désespéré, comme j'ai pu le constater en discutant avec de nombreux couples. Chaque couple est unique, mais peut-être que certains conseils tirés de mon expérience pourront en quelque sorte servir de guide à d'autres hommes.

Corinne et moi nous sommes rencontrés à New York lors d'un rendez-vous surprise. Nous nous sommes fiancés après avoir passé trois week-ends ensemble et nous avons fait le voyage de la vie comme une seule personne dans deux corps pendant 25 ans, jusqu'à ce qu'elle soit emportée par le cancer des ovaires, le 12 septembre 1995. Corinne a vécu dans l'ombre du cancer pendant les 17 dernières années de sa vie. Il y a d'abord eu un mélanome malin. Et ensuite un cancer du sein, qu'elle a su détecter à temps et dont la chirurgie et la radiothérapie sont venues à bout.

Finalement, il y a eu ce cancer des ovaires, dont les symptômes ont d'abord été écartés avec condescendance par deux gynécologues. Un an plus tard, un troisième médecin a compris ce qui se passait, et le cirque des chirurgies et des traitements de chimiothérapie a commencé...

Un mari ou un compagnon peut jouer un rôle important en portant une attention particulière au corps de la femme qu'il aime, et ce, en lui exprimant son amour au-delà de toute pulsion sexuelle, mais cela n'est possible que si l'intimité est déjà grande entre eux. L'homme devrait comprendre que poser des questions, c'est poser un acte d'amour. La femme appréciera l'intérêt qu'on lui porte, s'il est authentique. C'est l'une des joies de notre existence terrestre que de pouvoir explorer le corps d'une femme, et cette exploration sans fin aura encore plus de valeur si vous la faites, au moins de temps en temps, avec les yeux grands ouverts et non pas dans l'obscurité !

Ne prenez pas à la légère les symptômes ou les préoccupations de votre femme ou de votre partenaire. Encouragez-la à consulter un médecin. Les femmes connaissent leur corps et savent faire la distinction entre une douleur normale et ce «qui ne va pas». Étant donné que la femme supporte bien la douleur et qu'elle a souvent tendance à faire passer le bien-être de tous les membres de sa famille avant le sien, le rôle de son partenaire est de l'écouter, de lui poser des questions et de l'encourager à obtenir un bon diagnostic afin d'en avoir le cœur net.

Même si elle vous semble surhumaine, elle est bien humaine, et elle a besoin de vos encouragements pour arriver à franchir la prochaine étape, pour permettre à son inquiétude de faire surface, pour aller voir son médecin, pour obtenir l'avis d'un autre spécialiste si son intuition lui en dicte la nécessité. La meilleure chose à faire est de l'accompagner dans toutes ces démarches.

N'oubliez jamais la femme que vous aimez et faites toujours en sorte qu'elle demeure au centre de vos préoccupations. Il est facile de se sentir exclu dans l'incessant tourbillon de confidents qui l'entourent. Je fais ici allusion tant aux amis de longue date qu'aux parfaits inconnus qui se retrouvent à son chevet et qui entretiennent avec elle des relations qui vous auraient fait sortir de vos gonds si vous n'étiez pas vous-même prisonnier de cette tornade surréaliste et inévitable. Avec l'information que l'on nous donne sur la maladie et toutes ces discussions avec des spécialistes, les seins et les ovaires peuvent aisément devenir une obsession – mais c'est la femme, et non ses organes, qui doit retenir toute notre attention. Elle voudra que vous la regardiez dans les yeux... et que vous lui souriez. Écoutez votre cœur, de manière à demeurer tous deux unis tout au long de cette épreuve décisive.

Si vous avez envie de rire, riez! Qui a dit qu'il fallait rester d'humeur maussade devant la souffrance? Habituellement, c'est ce que l'être humain trouve de plus effrayant qui suscite chez lui le plus d'hilarité. Le rire nous aide à surmonter toutes sortes de difficultés – comme accompagner dans son cheminement notre partenaire qui tente d'affronter avec courage la désintégration de son être.

Je ne dis pas que votre partenaire a besoin d'un comique de scène. Mais dans un couple uni, l'ironie d'une situation peut souvent être reconnue et partagée au moyen d'un unique regard ou d'une simple mimique. La majorité des femmes sont au centre de la vie familiale. Les enfants, les repas, l'entretien ménager, les attentes réciproques du couple, la gestion de la famille élargie, le stress relié au travail, les engagements sociaux, les perspectives de carrière, l'éducation et les responsabilités communautaires sont des aspects de sa vie qui, mis tous ensemble, obligent la femme contemporaine à jouer un rôle capital et stressant. Ses tâches sont parfois aussi accaparantes que celles d'un contrôleur aérien qui doit gérer le trafic dans un aéroport très fréquenté.

Et même si elle est désormais aux prises avec l'incertitude corrosive du cancer, ses responsabilités demeurent les mêmes. En fait, cette routine est importante et il convient de ne pas la modifier, dans la mesure du possible. Ce qui veut dire que la majorité des femmes doivent continuer à vivre en n'ayant que très peu de temps pour elles. Votre partenaire a cependant besoin d'espace et de temps pour apprivoiser la maladie et

112

s'adapter aux traitements, et aussi pour réévaluer ses engagements psychologiques et spirituels envers la vie.

C'est à ce moment-là que le partenaire se voit offrir une occasion exceptionnelle de soutenir celle qu'il aime. Il existe bien des façons de le faire, mais le partenaire devrait savoir que le moment est venu lorsqu'on lui demande de quitter le banc des joueurs et de s'élancer sur le terrain – de passer à l'action. Certains hommes paniquent dans un marché d'alimentation, alors imaginez-les en train de faire le ménage ou de cuisiner ! C'est donc le moment d'apprendre. Peut-être est-il enfin temps de demander l'aide d'amis bien disposés qui désirent ardemment faire une bonne action.

Certains amis vous proposeront ainsi leur aide et feront preuve d'un grand esprit pratique en anticipant vos besoins. D'autres « amis » disparaîtront tout simplement de l'écran radar. Un diagnostic de cancer permet souvent de faire la lumière sur la qualité de nos relations avec autrui.

La majorité des couples font constamment des projets – agrandissement de la maison, réorientation de carrière, études universitaires des enfants, visite des petits-enfants, prochaines vacances. Cependant, lorsqu'un couple réalise tout doucement, souvent dans un silence tacite, qu'il ne lui reste peut-être que très peu de temps, que fait-il ?

Pendant quelque temps, j'ai apporté chaque jour à l'hôpital des photos prises tout au long des 25 années que nous avions passées ensemble et, profitant de ces moments paisibles que notre vie trépidante ne nous avait encore jamais permis de connaître, nous nous sommes rappelés des souvenirs et nous avons discuté du chemin que nous avions parcouru ensemble. Lorsqu'on a peu de temps devant soi, une telle rétrospective peut nous aider à mieux comprendre les choses, à partir d'un nouveau cadre de référence ; et aussi à voir comment tous les aspects de la vie s'assemblent pour former un tout.

Nous avons également reçu la communion à l'hôpital. Et le jour de notre 25e anniversaire de mariage, nous avons renouvelé nos vœux lors d'une cérémonie spéciale. Si ce n'est pas un anniversaire de mariage, chaque couple trouvera toujours une date spéciale, un souvenir ou un événement à commémorer, sans grande cérémonie mais de façon atten-

tionnée. Vous comprendrez tous les deux que, comme le dit la chanson :
« Les petites choses comptent beaucoup. »

J'ai également cherché des moyens de recréer pour Corinne une partie de son univers pendant son hospitalisation. Une photo de notre jardin égayait l'un des murs ternes de sa chambre. Je lui apportais aussi des fleurs fraîchement coupées. Je l'observais alors que son visage s'illuminait à la vue des couleurs vibrantes des marguerites et des tournesols, alors que les fleurs de tons pastel la lassaient indifférente. Un lecteur de CD avec écouteurs a élevé son âme. Un téléphone sans fil et son carnet d'adresses lui ont permis de donner un dernier coup de fil à des amis intimes. Aussi, je lui ai apporté quelques-uns des produits naturels utilisés en médecine « alternative » dont elle voulait faire l'essai.

Dans l'ensemble, il est vital de ne jamais oublier l'importance de l'intimité. Croyez-moi, il n'est pas toujours facile de trouver cette intimité lorsque l'univers de votre femme se trouve soudain envahi par des médecins, des infirmières, des spécialistes, des thérapeutes, des conseillers spirituels, des nutritionnistes, des praticiens de médecine douce, sans compter la kyrielle d'appels téléphoniques et de visites.

Même ceux qui ont l'habitude de ne pas se laisser mener par le bout du nez dans ce monde, comme moi dans une certaine mesure, peuvent être intimidés dans une chambre d'hôpital; ou même dans leur propre maison, par le protocole de soins et la présence des infirmières, des amis, etc. On a l'impression d'avoir perdu le contrôle, de jouer un second rôle, ou encore de n'être qu'un simple spectateur.

Un homme qui, en temps normal, ne permettrait pas aux autres de l'évincer ou de s'immiscer dans la relation privilégiée qu'il entretient avec sa femme ne devrait pas se laisser intimider par l'armada médicale ou aiguiller sur une voie de garage à cause des circonstances entourant le combat pour la vie que mène sa femme, alors que sa présence est plus que jamais nécessaire.

Pendant plusieurs semaines, après le retour de Corinne à la maison, j'ai dormi sur un lit pliant ou dans un fauteuil, dans la pièce du rez-de-chaussée qui avait été aménagée pour elle avec un lit d'hôpital, un inhalateur d'oxygène, un distributeur de morphine et ses éternels et souriants tournesols.

J'aurais aimé m'étendre à côté d'elle et la serrer dans mes bras, mais je craignais que les autres désapprouvent un tel comportement alors que Corinne était tenaillée par la douleur et en si piteux état. Je n'ai pas revendiqué l'intimité à laquelle j'avais droit. Au dernier jour de sa vie, une infirmière très compréhensive que je voyais pour la première fois a vu mon désespoir. En souriant, Clare m'a dit d'une voix douce avant de quitter la pièce et de refermer doucement la porte : « Étendez-vous auprès d'elle. » Je me suis allongé à côté de Corinne, je l'ai tendrement prise dans mes bras et j'ai de nouveau senti entre nous une communion alors que nous franchissions un autre seuil, ensemble.

Les hommes aussi ont besoin de soutien. Ils peuvent tout aussi bien le trouver chez une infirmière dotée d'une rare sensibilité que lors d'une conférence. Après la mort de ma femme, j'ai créé le Fonds Corinne Boyer et lancé une campagne d'envergure dans le but ultime de vaincre le cancer des ovaires. Nous avons organisé le premier congrès canadien sur le cancer des ovaires en mai 1999. J'avais assisté avec Corinne à des conférences sur le cancer du sein et je n'y avais pas vu beaucoup d'hommes. Donc, lors de notre congrès de 1999, nous avons réuni tout le monde – femmes, chercheurs, professionnels de la santé, infirmières, praticiens de médecine douce, représentants du gouvernement, et leurs conjoints.

Après l'événement, un homme de Vancouver m'a écrit pour me dire que, depuis que sa femme luttait contre le cancer, il avait pour la première fois eu le sentiment d'être inclus dans un processus qui le touchait profondément du point de vue émotif – la vie de sa femme. Il m'a dit que leurs amis le saluaient toujours en demandant des nouvelles de sa femme, sans jamais demander comment il allait, lui. Il comprend, et il n'éprouve pas d'amertume à leur égard, mais il souffre du fait que personne ne voit qu'il fait lui aussi partie du décor.

Les hommes vivent aussi l'épreuve du cancer et ils ont besoin de laisser libre cours à leurs émotions et d'exprimer leurs peurs. On attend généralement des hommes qu'ils soient les plus forts, jour après jour. D'une part, cela confirme leur masculinité. D'autre part, cela est en accord avec le fait qu'ils continuent à vivre en bonne santé alors que leur femme souffre, subit des traitements et, éventuellement, trépasse devant leurs yeux.

Mais les personnes les plus fortes que j'ai rencontrées sont les femmes courageuses – et j'en connais vraiment beaucoup – qui ont gagné leur bataille contre le cancer des ovaires... même si elles ont payé leur victoire de leur vie.

Au cours des dernières années, j'ai parlé à beaucoup d'hommes dont la femme luttait contre un cancer gynécologique. J'ai assisté à des funérailles, et j'ai passé de nombreuses heures assis aux côtés d'hommes ravagés par la douleur, déprimés et souvent complètement perdus. La plupart du temps, nous ne tentons même pas de cacher nos larmes. La tristesse nous relie à un univers plus grand, tout comme l'amour éternel que nous vouons à la femme de notre vie.

Si vous perdez votre femme, comme j'ai perdu ma Corinne, vous trouverez peut-être utile de canaliser votre amour dans une entreprise constructive qui, avec des gestes petits et grands, honorera sa mémoire et aidera d'autres femmes. Corinne aimait bien citer cette phrase de Ralph Waldo Emerson : « N'allez pas où le chemin vous mène, allez au contraire là où il n'y a pas de chemin et laissez une piste. »

«Il y a des amis... qui sont plus chers

qu'un frère [qu'une sœur].»

(Les Proverbes 18,24)

L'AMITIÉ

C'est l'amour d'un ami. C'est cette affection rare, sans réserve et profonde qui peut grandir entre des amis très intimes, entre des âmes qui partagent des affinités uniques. L'apôtre Paul, dans son épître aux Galates, écrit qu'en nous mettant au service les uns des autres, nous montrons notre amour, «car une seule formule contient toute la Loi en sa plénitude : "Tu aimeras ton prochain comme toi-même."»

L'amitié et l'amour sont essentiels si nous espérons arriver à nous définir dans le monde du cancer. La chaleur de la main d'un ami peut apporter l'espoir. «Des changements profonds et significatifs peuvent être le fruit d'un petit geste, apparemment insignifiant.»[15] Mon amie Cindy a déjà passé des heures à me caresser le dos alors que j'avais très mal. Elle ne saura jamais toute la différence que cela a fait pour moi pendant ces heures difficiles; et ce n'est que maintenant que je réalise la douleur qu'elle a dû ressentir pendant ces heures de mouvements répétitifs. Le véritable amour issu de l'amitié, c'est, comme l'a écrit le

---

15. Roger Housden, *ten poems to change your life*, New York , Harmony Books, 2001, p. 12.

117

poète Pablo Neruda, prix Nobel de littérature : « Je ne t'aime que parce que c'est toi que j'aime ».[16]

Personne n'a dit qu'il est facile d'être un ami en période de crise. Au contraire, pour ceux qui n'ont pas l'habitude d'être ouverts, communicatifs et confiants, cela peut être terrifiant de s'aventurer hors de leur cercle familier – que ce soit pour donner ou recevoir. D'un autre côté, une fois qu'on y a goûté, c'est une habitude dont a du mal à se défaire ! (Et pourquoi le feriez-vous ? Tout comme les cercles concentriques qui ondulent à la surface d'un étang lorsqu'on y jette une pierre, votre acte de tendre amitié ira doucement toucher l'autre – qui à son tour fera preuve de gentillesse, et puis les ondulations se croiseront et la boucle sera bouclée).

Nous savons tous comment faire – mais c'est un réflexe conditionné qui a été étouffé chez un grand nombre d'entre nous. Chaque fois que vous donnez de vous-même, vous faites grandir l'amour, l'amitié.

Ce sont les petites choses qui ouvrent la porte aux amitiés profondes et enrichissantes. De petites choses telles que des affichettes que vous aurez fabriquées avec du carton et des bâtonnets de bois à l'intention de votre amie qu'une sonde nasogastrique empêche de parler. Des affichettes sur lesquelles vous aurez écrit : « Allez-vous-en ! », « Des glaçons, s'il vous plaît », « NON docteur ! » Ou encore de petites choses telles qu'apporter à votre amie une douzaine de dessous neufs. Organiser un repas chinois dans le salon des visiteurs : soupe aigre et piquante, rouleaux du printemps, beaucoup de sauce aux prunes, une nappe, des bols chinois et des baguettes. Aider votre amie à se débarrasser du bassin malodorant et laver ses chemises de nuit tachées. Et toujours « Essayer les Perruques », avec des majuscules.

Comme Khalil Gibran l'écrit dans *Le Prophète*, un ami est « la réponse à vos besoins. Il est votre champ que vous ensemencez avec amour et moissonnez avec reconnaissance. [...] Car vous venez à lui avec votre faim et vous le recherchez pour la paix. [...] Et dans la douceur de votre amitié, qu'il y ait le rire, et le partage des plaisirs. »[17]

16. Pablo Neruda, *La Centaine d'amour*, Paris, Éditions Gallimard, 1995, p. 147.
17. Khalil Gibran, *Le Prophète*, Paris, Librio, 2001.

La contribution de Barb Quentin reflète les mots de Gibran. Elle vit à Kingston en Ontario. Barb est un pseudonyme, car elle tient à préserver l'anonymat de son amie.

Je suis son amie.

Elle a été « touchée par le cancer des ovaires » et j'ai donc, moi aussi, été « touchée par le cancer des ovaires ». Personnellement, je n'emploierais pas le mot « touchée » – mais plutôt anéantie, massacrée, envahie, broyée ou mutilée. Mais certainement pas « touchée ». Ce verbe est bien trop « délicat » pour être associé au cancer car mon amie n'a vécu que de rares (et précieux) moments de répit après que son adorable médecin de famille ait prononcé les mots suivants : « Je vous envoie passer une échographie. »

Mon amie a immédiatement compris. À partir de cet instant précis, elle a vécu dans la terreur. J'ai fait le vœu de l'aider à traverser cette période difficile, d'être là contre vents et marées. Eh bien, la marée est montée et je n'étais absolument pas préparée aux sentiments qui ont déferlé sur moi, j'étais honteusement non qualifiée pour gérer ce qui s'annonçait et j'étais paralysée par la peur.

Avec le premier résultat, mon univers a rétréci. Il y avait mon monde immédiat et il y avait le sien. Tous les chemins menaient à son monde, tout le reste était devenu flou. Elle ne m'a rien demandé, elle n'avait pas d'attentes, elle ne souhaitait même pas ce dévouement total que je lui ai donné. Et lorsque ce n'était pas par ma présence, il se manifestait par mon inquiétude constante. Ma meilleure amie est devenue ma principale préoccupation, ma cause célèbre[18].

Dès le premier jour, mon esprit a été le théâtre d'un flot incessant de pensées qui m'ont attristée, bousculée, étourdie, tourmentée, obsédée et même réchauffée. Tant de pensées et de sentiments contradictoires – j'ai parfois cru que ma tête allait éclater. J'étais troublée mais je fonctionnais, extérieurement optimiste et réaliste, décontractée et pleine d'assurance, mais affolée intérieurement. Je souriais et je travaillais. Mais mon sommeil était agité.

---

18. En français dans le texte.

Et dans une ville que je connaissais bien, je ratais des sorties et je m'égarais. Je restais assise avec elle, après les heures de visite et après que les membres de sa famille, épuisés, aient pris congé à contrecœur. Je restais assise, souvent à ne rien faire, pendant qu'elle dormait. Je goûtais alors ce moment de calme à ses côtés, même si nous n'échangions que peu de mots. De petits «bonjours» prononcés dans un murmure quand elle se réveillait, de brèves conversations et de petits sourires rapides. Elle me redonnait courage par la façon dont elle me disait «reste» à travers les brumes dont l'enveloppaient ses médicaments, son «sérum de vérité». Je remercie Dieu de m'avoir donné une telle amie, pour avoir fait en sorte qu'on découvre son cancer à un stade précoce, de l'avoir ainsi privilégiée; je m'estimais heureuse qu'elle ait eu cette chance.

Mais attendez un instant, ai-je perdu l'esprit? «De la chance?» Aujourd'hui, au lieu de remercier Dieu, j'ai envie d'assassiner quelqu'un, n'importe qui. Tous ces gens plaisantent-ils lorsqu'ils parlent de chance ? *Se rendent-ils compte qu'ils ont vidé l'abdomen de ma seule amie? Qu'elle a le* cancer ?

J'étais dans un triste état. J'avais l'âme en mille morceaux. Les décisions les plus simples devenaient difficiles. Une glace la ferait sourire. Au supermarché, je suis restée debout devant le rayon des produits congelés, indécise devant tous ces parfums, m'ordonnant de faire un choix, tout de suite! J'ai finalement acheté six différents parfums.

Elle est assise sur la cuvette, le dos rond, les traits déformés par l'effort; elle pleure et elle tremble et elle est transie. Je n'ai vu aucun signe de Dame Chance alors que j'étais là à serrer contre moi cette âme meurtrie.

Sa voix a changé.

Mon amour et ma sollicitude servent à la fois de pilier et de poids.

J'avais l'habitude de fermer mon téléphone portable à 17 heures précises. Il est maintenant ouvert en permanence.

C'est avec hésitation que j'ai accepté sa provision de tampons. Aurais-je dû la serrer davantage sur mon cœur ou demeurer à l'écart? J'étais à la fois acceptée et repoussée. J'avais tellement peur pour elle. Je ne savais pas quoi faire. Nous nous parlions tous les jours, plusieurs

fois par jour. Je priais Dieu pour qu'Il me guide. J'attendais, j'écoutais. Je gardais pour moi la moitié des questions qui me brûlaient les lèvres, et pourtant j'avais l'impression d'en poser trop. Et j'avais tellement peur pour moi, si isolée. Je me taisais tout en bavardant. J'étais trop et pas assez. J'essayais de la rassurer, je lui écrivais de petits mots de réconfort et je lui téléphonais pour ne lui dire que : « Je suis heureuse que nous soyons amies. » Nous pleurions chacune de notre côté. Elle me remerciait pour tout.

Quelles conversations entre nous n'auront-elles jamais lieu ?

Nous allions faire du lèche-vitrine ensemble, et nous discutions du prix d'une tasse de café dans un bar branché.

C'était parfois une lutte intérieure. Amour et serviabilité par opposition à culpabilité et égoïsme. Alors que je me consacrais tout entière à son bien-être, je n'arrivais pas toujours à empêcher les « et moi alors ? » de s'infiltrer dans mes pensées. Certains jours, j'avais envie de crier : « Écoute-moi, c'est mon tour maintenant ! » J'étais en colère et je me sentais coupable. Mais pourquoi ? À cause de presque tout : un message publicitaire tourné avec des bébés, mon corps non mutilé, une journée de travail agréable, l'avenir... Je me sentais coupable de ne pas pouvoir lui apporter davantage de réconfort, de lui demander d'être forte et de se battre, d'avoir besoin qu'elle me rassure. J'étais rongée par la colère. Où était donc la panacée qui chasserait sa tristesse et ses craintes ? Pourquoi y avait-il davantage de mauvaises journées que de bonnes ? Et, bordel, quand donc me serait rendue mon amie ?

Je lui dis que j'essaie de comprendre. Elle me dit de ne pas m'en faire. Que je ne peux pas.

En quoi ma vie a-t-elle été « touchée » par le fait d'avoir une amie atteinte du cancer des ovaires ? Cela l'a foutue en l'air, voilà ! Et si c'est là ce que je ressens, imaginez dans quel état d'esprit elle se trouve !

Cela fait un an et demi. Aujourd'hui, à travers nos larmes, il y a des rires. Elle guérit et elle se remet. Et notre amitié ne cesse de grandir.

Barb m'a écrit pour me dire à quel point elle apprécie que cet ouvrage renferme un chapitre sur l'amitié : « Personne ne réagit de la même façon devant la maladie d'un être cher, mais j'ai l'impression que les amis ne voient pas les choses tout à fait comme les conjoints, les enfants et les autres membres de la famille. Et je crois aussi que l'apport des amis n'est pas toujours apprécié à sa juste valeur, car il n'est pas rare qu'ils s'investissent davantage que quiconque au jour le jour. »

Ruth Anne Sparlin nous dit que la décision d'acheter, ou de ne pas acheter, les perruques soi-disant nécessaires, relève souvent de l'amour, de l'honnêteté, des rires et des larmes qui sont l'apanage des véritables amis. Voici un extrait d'une lettre qu'elle a écrite à des amis et à sa famille :

Deux amies m'ont emmenée dans un magasin de perruques et j'ai eu un plaisir fou. Nous avons toutes les trois essayé des perruques de toutes les couleurs.

Je possédais une vieille perruque gris souris qui datait du début des années 1970 (ces choses hideuses étaient alors à la mode) et que j'avais fait « rafraîchir », mais j'ai tout de même acheté six nouvelles perruques. J'en ai une blonde aux longs cheveux tressés à la française. Je dis qu'elle correspond à ma personnalité « Brunhilde[19] ») J'en ai une autre aux cheveux raides et blonds avec une frange hollandaise. Et j'en ai une troisième blonde dans le style « Texas crêpé ».

Lorsque j'ai envie de changer de personnage, je porte une perruque rousse. J'en ai une courte et une longue. Oh, et n'oubliez pas la gris souris ! Je songe maintenant à en ajouter une gris argenté à ma collection. J'ai aussi cinq turbans et quelques jolies postiches blondes que ma fille, Sharon, m'a rapportées de Londres.

Ruth Anne continue à nous parler de ses cheveux qu'elle a perdus à cause de la chimiothérapie :

J'ai non seulement perdu mes cheveux, mais mon système pileux tout entier est disparu. Au moins, je n'ai plus à me raser les jambes.

---

19. Personnage d'un opéra de Wagner.

Le plus étrange a été de me regarder dans la glace et de constater à quel point j'avais changé – je n'avais plus ni cils, ni duvet, ni sourcils. Je me suis amusée à rire devant le portrait d'extraterrestre que me renvoyait mon miroir, et je sais maintenant que c'est en rasant les sourcils des acteurs qu'on les transforme en extraterrestres et en monstres.

Je suis plutôt habile lorsqu'il s'agit de dessiner des sourcils, mais un jour Derry m'a dit qu'ils n'étaient pas symétriques. J'ai donc tracé deux gros sourcils en forme de triangle, comme le font les clowns, mais Derry m'a dit que cela ne m'avantageait pas du tout !

Les cils sont plus problématiques. Pendant la période où ils tombaient, j'avais de la difficulté à mettre mes verres de contact. Il y avait toujours un cil qui se coinçait derrière ! Certaines personnes ont de mauvais jours avec leurs cheveux – j'ai des mauvais jours avec mes lentilles ! Par contre, il y a un avantage à la perte du duvet facial car on n'a plus à craindre l'affreuse moustache qui apparaît avec l'âge. Mais en même temps, mon visage a l'air nu sans son duvet. Toutes les femmes que je connais ont ce fin duvet sur le visage qui semble adoucir leurs traits.

Un jour, j'ai échappé des faux cils noirs – enduits de colle – sur le dos de Duma, notre Labrador noir. J'ai été prise d'un fou rire alors que j'essayais de retrouver la «chenille» noire sur le pelage noir de notre chien !

La lettre de Ruth Anne est répartie sur plusieurs pages. Elle veut que cette lettre soit lue par le plus grand nombre possible de femmes, car elle tient à mieux faire connaître le cancer des ovaires. Avec sa permission, la suite de cette lettre fait donc l'objet du début de la section suivante. Elle ne demande qu'une chose : que l'on continue à sensibiliser les femmes – et les hommes – à cette réalité. Ruth Anne poursuit son témoignage sous le thème de la prise de conscience et du plaidoyer en faveur de toutes celles d'entre nous qui sont «touchées par le cancer des ovaires».

PRISE DE CONSCIENCE ET PLAIDOYER

Le cancer peut être amusant – il a ses bons côtés

L'histoire de mon éternel combat contre le cancer, par Ruth Anne Sparlin

Mon mari, Derry, et moi avons eu la chance de voyager beaucoup et nous avons vécu de merveilleuses aventures dans de nombreux pays. Et j'ai souvent eu beaucoup de plaisir à raconter ce que nous avons vu et appris. L'an 2000 nous a réservé un voyage et des aventures dont nous n'avions jamais rêvé. Le 6 janvier 2000, j'ai appris que j'avais le cancer. Une biopsie et un tomodensitogramme ont confirmé que j'étais atteinte d'un cancer des ovaires de stade IV. Et moins d'une semaine plus tard, je me suis retrouvée au Methodist Hospital de Houston, où j'ai été soignée par deux excellents oncologues.

Seules les **femmes très spéciales** *peuvent souffrir du cancer des ovaires! Lors d'une brève intervention chirurgicale, on m'a installé sous la peau une chambre d'injection, juste au-dessus du sein gauche. Elle permet l'administration de médicaments directement dans une veine. Au cours des dernières années, j'ai eu beaucoup d'intraveineuses et c'est toujours douloureux, sans parler de l'aiguille qu'on nous enfonce sur le dessus de la main et qui est plutôt gênante! La chambre d'injection élimine ce problème.*

J'ai eu mon premier traitement de chimiothérapie dès le lendemain de mon opération, alors que j'étais encore hospitalisée.

Permettez-moi de vous initier au monde de la chimiothérapie. Le premier sac de liquide était destiné à hydrater mon organisme. Ensuite, j'ai reçu un antiémétique (un médicament qui prévient les nausées). Je suis heureuse qu'on ait découvert ce moyen de contrôler la révolte de mon estomac et d'empêcher les vomissements qui ont été le lot de tant de gens. Je n'ai pas eu une seule nausée!

Et ensuite, c'est le début du véritable traitement – une association de Taxol et de carboplatine. L'antiémétique me fait somnoler à tout coup. Je dors donc toute la journée pendant la perfusion, ne me levant qu'une fois à toutes les heures pour aller «faire pipi». C'est désagréable d'être ainsi tirée d'un sommeil profond. Je dois alors débrancher la pompe électrique et tirer derrière moi la potence à laquelle je suis reliée par la tubulure d'intraveineuse.

La potence mesure 1,5 mètre de hauteur et couvre une superficie de près d'un mètre carré. La salle de bain est minuscule et il y a une petite dénivellation à l'entrée. Je dois soulever la potence pour lui faire franchir cet obstacle, la pousser dans la pièce exiguë et puis faire demi-tour et la contourner pour atteindre la cuvette. Ensuite, il me faut tout refaire en sens inverse et ne pas oublier de rebrancher la pompe. Si j'oublie de le faire ou si je la branche dans la mauvaise position, un «bip-bip-bip» se fait entendre. Une infirmière doit alors venir et tout arranger.

J'ai passé deux jours à l'hôpital et ce séjour n'a pas été désagréable. Les infirmières et les préposés ont été fantastiques. La nourriture était aussi bonne que dans n'importe quel grand hôtel.

J'avais encore mal lorsque je suis rentrée à la maison, tant à cause de la maladie elle-même que du traumatisme chirurgical. J'étais épuisée. J'ai dormi pendant la majeure partie des jours suivants. De fait, la fatigue est le seul effet secondaire que ce premier traitement ait provoqué chez moi.

La douleur associée au cancer était pratiquement disparue au moment de recevoir mon deuxième traitement de chimiothérapie, à la mi-février. On me faisait une analyse sanguine avant chaque traitement pour vérifier mon taux de globules blancs. Mes 5e, 6e et 9e traitements ont dû être différés parce mon sang était trop «faible».

J'ai reçu mon deuxième traitement au Methodist Hospital. Malheureusement, la chambre d'injection n'a pas fonctionné et on a dû en installer une autre par voie chirurgicale. Ensuite, le traitement s'est déroulé comme le premier, et je suis rentrée à la maison avec la même fatigue.

Il était désormais hors de question que je porte une robe décolletée. En fait, je ne l'avais jamais pu, n'ayant pas exactement les attributs physiques nécessaires! Mais maintenant, il y avait cette chambre d'injection de la taille d'une pièce de 25 sous qui était très apparente sur ma poitrine. Les petites cicatrices tout autour auraient pu laisser croire que j'avais été atteinte par des éclats d'obus. Je ris en écrivant ces mots!

Je crois que le secret de la survie se trouve dans l'humour et la capacité de rire des situations étranges dans lesquelles nous nous retrouvons. Et il est important de savoir rire de soi-même. J'ai découvert qu'il pouvait être amusant d'avoir le cancer. On me prêtait soudain beaucoup d'attention : appels téléphoniques, cartes de souhaits, fleurs et nourriture. Le soutien et les preuves d'amour affluaient.

Et puis il y a eu toutes ces prières qui ont été faites pour Derry et moi... Des prières offertes par des chrétiens, des musulmans, des Juifs, des bouddhistes et un groupe d'aborigènes. Nous avons reçu les prières d'amis de partout aux États-Unis, d'Australie, du Brésil, du Canada, d'Angleterre, du Honduras, d'Inde, du Mexique, d'Oman, d'Écosse, de Singapour, d'Afrique du Sud et du Zimbabwe. Avec de tels encouragements, il fallait tout simplement que je guérisse!

Un ami a prié pour moi à la basilique Saint-Pierre alors que le pape s'y trouvait! Je me suis sentie doublement bénie.

Un autre aspect agréable de la maladie est ce rapprochement qu'elle permet avec la famille et les amis. Je les aime beaucoup et j'avais toujours déploré la distance qui nous séparait. Je me sens maintenant plus près d'eux, et aussi très aimée.

Permettez-moi de faire une parenthèse et de vous parler de Derry. Il ne trouve pas ça amusant. Cela a été plus difficile pour lui que pour moi, et c'est compréhensible. Tout ce que j'ai à faire, c'est survivre. Derry ne peut que m'observer et il n'y a rien qu'il puisse faire. Il est passé maître dans l'art de la cuisine et de l'entretien ménager. Je ne crois pas être allée *au supermarché plus de six fois en un an. Le médecin de Derry lui prescrit parfois du Prozac.*

J'ai évité les sorties et les foules car la chimiothérapie affaiblit le système immunitaire. Cela fait plus d'un an que nous ne sommes pas allés au cinéma. Imaginez tout l'argent que nous avons économisé en regardant des vidéocassettes et en mangeant du pop-corn fait maison!

C'est devenu plus amusant après mon deuxième traitement de chimio. Mes cheveux ont changé de texture. Pas étonnant! Ils étaient morts et commençaient à tomber. C'est une étrange sensation que de se réveiller parce que des touffes de cheveux nous chatouillent la joue.

Au début, je pensais que c'était l'un de mes chats qui se frottait contre moi. La prochaine étape a été une coupe de cheveux à la «JI Jane» Cela faisait 35 ans que je portais les cheveux longs et teints en blond, et du jour au lendemain je me retrouvais pratiquement chauve. J'ai trouvé amusant d'observer ce processus, et je me suis ensuite sentie libre et légère. Et puis même les repousses piquantes sont tombées, laissant mon crâne lisse et luisant. C'est agréable de sortir de la douche et de s'essuyer la tête d'un coup de serviette au lieu de passer 20 minutes à manier un sèche-cheveux...

Au cours des quatre mois suivants, j'ai reçu mes traitements de chimio en tant que «malade en traitement de jour» au Pavillon Smith, qui est rattaché au Methodist Hospital. Je devais m'y présenter à 8 heures et je n'en sortais généralement pas avant 18 heures. Je passais la journée allongée sur une civière et, même si j'avais mon téléviseur privé, je dormais la majeure partie de la journée. Mais ici la salle de bain est plus vaste et il est plus facile d'y entrer avec la potence à intraveineuse.

À chacun de ces quatre traitements et des trois autres que j'ai suivis à l'automne, j'ai beaucoup apprécié le fait que des amis me conduisent à l'hôpital le matin et que Derry vienne m'y chercher le soir. C'est une véritable preuve d'amitié lorsque quelqu'un vient vous chercher à 6 heures du matin pour ensuite affronter la circulation dense des banlieues de Houston. Plusieurs de mes chauffeurs étaient des amis de Derry et c'était agréable de pouvoir discuter avec eux en tête-à-tête. Généralement, nous, les femmes, sommes tellement occupées à parler entre nous que les hommes n'arrivent pas à placer un mot.

Hourra! J'ai terminé mon premier cycle de six traitements de chimio et je suis allée en Californie pour voir parents et amis. Et puis Derry et moi avons rendu visite à ma fille Sharon à Oahu et nous nous sommes imprégnés de l'atmosphère toute particulière qui caractérise Hawaï. Et nous avons également eu le bonheur de faire la connaissance de notre nouveau petit cousin Sasha!

On analysait mon sang chaque mois afin de vérifier s'il était assez fort pour le prochain traitement. Le tomodensitogramme a montré que ma tumeur avait rétréci, et mon taux de CA-125 était passé de 123 à 6.

Finalement, le 25 juillet, je suis arrivée au Methodist Hospital à 6 heures du matin. Derry et moi avons été conduits à la chambre qui serait ma demeure pour la semaine à venir. J'ai revêtu une élégante chemise d'hôpital et on m'a relié à un appareil de perfusion. J'ai ensuite fait une courte promenade en civière jusqu'au bloc opératoire – où il faisait très froid.

J'ai demandé quelques couvertures chaudes et je me sentais très bien lorsqu'on a commencé à m'administrer un cocktail «dodo». Deux chopines de sang et six heures plus tard, j'étais recousue. Ces agrafes qui mordent la chair sont tout simplement contre nature!

J'ai subi une hystérectomie totale. J'avais demandé aux médecins de profiter de l'occasion pour m'enlever l'appendice. J'avais toujours eu peur d'avoir une crise d'appendicite alors que je me trouvais dans un coin reculé du monde. Les tests ont révélé la présence de deux petits calculs, et on m'a donc aussi enlevé la vésicule biliaire.

Les médecins ont pratiqué deux incisions. La plus importante des cicatrices se trouve sur mon ventre et s'étend sur 35 centimètres, incluant le demi-cercle contournant le nombril. La deuxième mesure 10 centimètres et se trouve près de l'aine, du côté gauche. C'est cette dernière incision qui a permis au chirurgien d'atteindre la tumeur qui enveloppait mon ovaire gauche. Le rapport de pathologie a révélé qu'il ne s'agissait pas d'un cancer des ovaires, bien que j'en aie tous les symptômes.

La douleur a tout de même un bon côté : on l'oublie facilement. Et mieux encore, les hôpitaux offrent maintenant de merveilleuses pompes pour l'injection d'analgésiques que l'on actionne soi-même au besoin.

Vous rappelez-vous cette époque ancienne où l'on vous faisait une piqûre à toutes les quatre heures et qui vous assommait raide? Mais la douleur reprenait le dessus après seulement trois heures, et il fallait souffrir encore une heure avant l'injection suivante. On peut maintenant contrôler la douleur en restant consciente – ce qui est une autre bénédiction.

Malheureusement, l'hôpital avait engagé un nouveau chef après mon dernier séjour, et ce changement n'a pas été des plus heureux. Ce qu'on nous servait était immangeable! C'est peut-être l'une des nombreuses conséquences de ces mesures de compression des coûts. Chaque jour, Derry m'achetait un sandwich dans une épicerie fine, et j'en mangeais une moitié le midi, et l'autre moitié le soir. Et puis la diététiste en chef a décidé de me prescrire un régime riche en protéines pour renforcer mon sang. Elle a demandé qu'on m'apporte du fromage et une orange chaque soir à l'heure du coucher. Finalement, 48 heures plus tard, j'ai enfin vu la couleur de ce fromage : un minuscule sandwich au cheddar garni d'un peu de moisissure – mais l'orange est demeurée invisible.

Tout au long de cette période, mes journées étaient égayées par les appels et les cartes de souhaits de mes amis. Ces encouragements étaient très précieux pour moi. Mes médecins ont ensuite décidé de me prescrire trois autres traitements de chimio à titre préventif. Encore une fois espacés d'un mois, ils n'ont pas été particulièrement pénibles, car la nouvelle unité de soins était axée sur des mesures d'hygiène plus strictes afin de prévenir les infections, même un « simple » rhume.

Les personnes qui suivent un traitement de chimiothérapie évitent tout particulièrement de fréquenter des enfants car ce sont de véritables petits porteurs de microbes. Dans cette nouvelle unité, on nous installe dans des fauteurs inclinables au lieu de civières. Ils sont censés être plus confortables, mais j'ai plus de difficulté à trouver le sommeil dans cette position. Ici encore, chaque patient a son téléviseur et on lui offre même une sélection de vidéocassettes. Je suis à chaque fois arrivée la première et partie la dernière.

Certaines personnes ne restent qu'une heure. J'ai également appris que ce ne sont pas tous les patients qui ont le cancer. Un jeune homme recevait un médicament anti-rejet après une greffe de rein. Et une femme qui souffrait de sclérose en plaques recevait une perfusion pour soulager ses symptômes.

Mon troisième traitement de chimio a été reporté après l'Action de grâces parce que mon sang était faible. Un peu plus tard, j'ai décidé que j'avais physiquement besoin de la magie de Noël. J'ai donc trouvé de l'aide et nous avons décoré la maison avec douze grands sapins artificiels. Cela faisait cinq ans que nous n'avions pas réellement fêté Noël et cela a été amusant de déballer toutes ces décorations qui dataient de mon enfance et d'autres qui provenaient de partout dans le monde. Derry et un jeune ami ont même assemblé un grand arbre en fibre optique dans notre chambre à coucher.

Au début du mois de décembre, mon taux de CA-125 était de 10, donc normal. Et puis, à la fin du mois, j'ai découvert une bosse dans mon sein gauche. Le Dr Kaplan m'a prescrit une mammographie qui a eu lieu pendant la première semaine de janvier. Mais elle n'a rien révélé de particulier, et comme la masse était toujours là, on a décidé de faire une biopsie la semaine suivante.

Entre-temps, une autre bosse était apparue près de mon pubis. Ce qui ressemblait d'abord à un gros furoncle a rapidement atteint la taille d'un haricot de Lima. Après la biopsie de mon sein, j'ai demandé au chirurgien de jeter un coup d'œil à cette autre masse. Il l'a attribuée à un follicule pileux sous-cutané et il a accepté de l'inciser. Mais rien n'est sorti et il a donc décidé de faire une autre biopsie.

À la fin de la deuxième semaine de janvier, le chirurgien m'a téléphoné pour m'annoncer une bonne nouvelle – et une mauvaise. La biopsie du sein était négative, mais l'autre révélait la présence de cellules cancéreuses, associées au cancer primitif. Et puis il m'a dit qu'il avait senti la présence de deux autres masses dans la région de l'aine. L'abominable maladie était de retour!

Impossible de passer une scanographie avant la troisième semaine de janvier (l'hôpital avait pris un peu de retard pendant les fêtes de fin d'année). Cet examen permettrait de voir si le cancer s'était propagé. On m'a aussi fait une radiographie des poumons. Le lendemain, j'étais de retour à l'hôpital pour amorcer un autre cycle de chimiothérapie, en commençant par une perfusion destinée à hydrater mon organisme.

La nourriture était infecte! J'ai pris quelques bouchées de ce qui était censé être une timbale de volaille, et plus jamais je ne mangerai de ce plat. Le souvenir de cette horrible nourriture ne s'estompera jamais. Peut-être que les compagnies d'assurance encouragent les hôpitaux à négliger la qualité de la nourriture afin de pousser les patients à abréger leur séjour.

C'est le mardi qu'on m'a administré le traitement chimiothérapeutique proprement dit et, encore une fois, j'ai dormi toute la journée. On m'avait dit que cette nouvelle médication me donnerait probablement des nausées, mais mon médecin m'avait prescrit un excellent antiémétique (contre les nausées) et tout s'est bien passé. Lorsque je suis rentrée à la maison quelques jours plus tard, je me sentais suffisamment en forme pour préparer le repas du soir, et puis j'ai dormi pendant 22 heures d'affilée le lendemain.

J'ai manqué d'énergie pendant quelques jours, mais je me sentais assez bien. La combinaison d'antinauséeux regroupe le Zofran, le Decadron, l'Adavan et le Dropardo! C'est un merveilleux cocktail! La nouvelle association d'agents anticancéreux que l'on m'administre est composée de Cytoxan, de cisplatine et d'une «grosse bombe», l'Adriamycin. On m'a dit que l'Adriamycin pouvait avoir des effets secondaires cumulatifs sur le cœur, pouvant même provoquer une insuffisance cardiaque congestive. C'est le résultat de l'administration d'un certain nombre de millilitres par mètre carré de surface corporelle. Pour une fois, ma grande taille et mon embonpoint jouent en ma faveur. J'ai plusieurs mètres carrés de surface corporelle!

À la fin du mois de février, je me suis rendue à l'hôpital pour mon deuxième traitement de chimio. J'étais déjà inscrite, mais j'ai dû attendre deux heures et demie avant qu'une chambre se libère dans la section où étaient administrés les traitements de chimio, et soudain la pensée que quelqu'un était peut-être en train de mourir m'a traversé l'esprit. Je ne m'étais pas rendue à l'hôpital plus tôt parce que je voulais jouer au bridge de compétition.

Finalement, on m'a installée dans une vaste chambre de l'unité des greffés de la moelle osseuse; ces patients pouvaient y être confinés de trois semaines à trois mois. Il y avait trois fauteuils dans la pièce, et l'un d'eux était réservé aux visiteurs qui souhaitaient faire une sieste.

Il y avait également deux commodes et beaucoup d'espace de rangement, ainsi qu'un téléviseur et un magnétoscope; de plus, une vidéothèque était mise à la disposition des patients de cette unité de 14 chambres. Et merveille des merveilles, les toilettes étaient spacieuses et adaptées pour les personnes en fauteuil roulant. On pouvait facilement y entrer avec la potence à intraveineuse. Même la douche était adaptée.

Mes plateaux-repas n'étaient pas livrés dans la chambre, mais étaient plutôt glissés dans un passe-plat. On s'en débarrassait ensuite au moyen d'un autre passe-plat. Il y avait également une salle de loisirs dans cette unité avec huit fauteuils confortables, un tapis roulant et un vélo renversé. Il devait malgré tout être difficile pour ces patients d'être confinés dans cette unité tout en sachant que c'était leur dernière chance de rester en vie.

J'y ai pourtant vu chaque jour des gens qui riaient. C'est peut-être difficile à croire, mais je me suis réellement amusée à contempler ma nouvelle apparence. J'adorais recevoir des cartes de souhaits et des courriels humoristiques. Une amie a fait un don en mon nom à Laughter Therapy, *un organisme à but non lucratif dirigé par Allen Funt, à Monterey en Californie. Une fois par mois, je recevais des vidéocassettes regroupant les meilleurs moments des émissions* You're on Candid Camera *et* I Love Lucy, *avec Lucille Ball. C'était à se tordre de rire. Vous rappelez-vous les épisodes où elle travaille dans une confiserie ou lorsqu'elle écrase des raisins avec ses pieds en Italie?*

Étant donné les circonstances, on comprend que chaque jour qui passe est précieux. Une amie qui s'était fait dire le printemps dernier qu'elle n'avait plus que trois mois à vivre s'en est sortie haut la main. Elle tient un journal dans lequel elle inscrit les petits bonheurs que chaque nouvelle journée lui apporte, et elle voit les fleurs et les oiseaux sous un nouveau jour.

Il existe des groupes de soutien pour les personnes atteintes de divers types de cancer, dont le cancer des ovaires, mais j'ai choisi de ne pas faire appel à eux car ma famille et mes amis m'apportent tout le soutien dont j'ai besoin. Il existe également un bulletin d'information intitulé Conversations *dirigé par Cindy Melancon, à Amarillo au Texas. Elle y donne les résultats des dernières recherches et dresse la liste des survivants. Elle nomme même quelques survivantes du cancer ovarien au Stade IV et j'entends bien être l'une d'elles.*

Lorsqu'on a découvert mon cancer il y a un an, mes chances de survie après cinq ans n'étaient que de 10 à 15 %. Et je ferai partie de ces 10 à 15 % !

Malgré mon attitude positive, je ne peux m'empêcher de «me préparer au pire». Donc, j'ai tout doucement commencé à faire le tri dans mes tiroirs et mes placards, une tâche que je remettais à plus tard depuis déjà trop longtemps.

Je venais à peine d'avoir 20 ans lorsque Mary Jane, une bonne amie, a été emportée par le cancer, et j'ai eu le privilège de me trouver à ses côtés quelques heures avant sa mort. Aussi étrange que cela puisse paraître, ce moment où elle m'a dit à quel point elle appréciait notre amitié a été magique. Elle m'a dit qu'elle m'aimait et elle m'a fait ses adieux. Malgré la douleur, il était évident qu'elle accueillait la mort avec sérénité. Quel bonheur pour elle et pour moi.

Cela a été tout le contraire lorsque mon père a été atteint d'un cancer du poumon. Ma mère ne lui a jamais permis de parler de sa mort imminente. Bien entendu, c'était sa façon à elle de nier l'évidence. Toutefois, il souhaitait en parler, et c'est ce que nous avons fait lui et moi. Il est dommage que ma mère n'ait pas pu partager d'aussi précieux moments avec son mari.

Et mon beau-père savait qu'il prononçait sa propre sentence de mort lorsqu'il a demandé qu'on cesse sa dialyse. Il était prêt et la mort ne l'effrayait pas.

Voici comment je vois la mort. Ce sera ma prochaine grande aventure – mon prochain grand voyage. Il est certain que je souhaite l'entreprendre le plus tard possible, mais cela ne me fait pas peur. Je refuse que l'on prenne des mesures héroïques.

Je pense aussi à mon amie californienne qui a été emportée par le cancer il y a plusieurs années et qui n'a pas permis à ses amis de partager sa douleur et ses craintes. J'ai eu l'impression que notre longue amitié a été en quelque sorte ternie par son refus de me voir. Elle n'a pas voulu que je lui montre à quel point je l'aimais.

Il y a un autre phénomène qui m'a beaucoup aidée. Les gens qui étaient au courant de ma maladie se sont mis à me faire part de leurs problèmes. Cela peut sembler étrange, mais lorsqu'ils me parlaient de *leurs enfants, de leurs parents âgés, de leurs propres maux, j'avais le sentiment de les aider, même si je ne faisais que les écouter. En tout, je crois n'avoir que trois amis qui n'ont pas de problèmes. Alors, n'hésitez pas à parler de ce qui vous attriste, comme vous le faites de ce qui vous réjouit.*

Je trouve parfois difficile de prier pour moi avec tout ce que je lis dans les journaux sur les tragédies qui secouent l'humanité tout entière. Les ouragans au Honduras, la violence en Israël et les tremblements de terre dévastateurs au El Salvador et en Inde. Des bilans de 17 000 morts et de plus de 630 000 sans-abri en Inde nous semblent souvent irréels.

Mardi, à mon réveil, j'avais des picotements dans la main droite et quatre petites protubérances sur le pouce. J'ai vu mon médecin de famille quelques heures plus tard, et il m'a dit que mon diagnostic de zona était exact! Au milieu de l'après-midi, les lésions avaient progressé jusqu'à mi-chemin entre le coude et l'épaule. Ces éruptions cutanées provoquent une douleur intense J'ai pleuré pendant deux jours et demi. J'ai eu de la chance, car j'ai été traitée très rapidement.

Certaines personnes souffrent le martyre pendant des semaines et la douleur persiste ensuite pendant des mois. J'avais l'impression que mon bras était rongé par les flammes. Chaque petite terminaison nerveuse «hurlait». C'était comme si on m'avait planté des clous dans la main. J'étais incapable de tenir un stylo ou une fourchette... et je suis droitière! Je vous présente donc mes excuses : c'est Derry qui a dactylographié mon message d'amour et qui a signé à ma place. Le zona est en fait une réactivation du virus qui cause la varicelle et qui est resté dormant dans la colonne vertébrale. Il peut se manifester de nouveau lorsque le système immunitaire est vulnérable.

C'est un problème fréquent chez les personnes qui reçoivent des traitements de chimiothérapie. Les douleurs peuvent être soulagées par l'application locale de crème Zostrix ou par trempage dans une solution de Domeboro. Cette dernière est fabriquée par Bayer depuis plus de 50 ans et elle soulage la douleur et les démangeaisons. Elle est fortement recommandée dans les cas de réactions allergiques au sumac vénéneux, etc.

J'arrive maintenant au terme de mon discours quelque peu dé-cousu. Je souhaite que, comme moi, vous appréciez chaque jour et

trouviez de la joie dans ce que vous avez le bonheur de posséder. Cherchez toujours le côté comique d'une situation. J'aimerais beaucoup que vous partagiez l'essentiel de cette lettre avec tous ceux que vous connaissez et qui luttent actuellement contre le cancer. Je vous prie également de parler à toutes vos amies des symptômes du cancer des ovaires. Eh oui, j'ai acheté la petite perruque gris souris. Ce qui fait que j'ai maintenant huit perruques! Allez, joignez-vous à mes fous rires!

Avec tout mon AMOUR,

Ruth Anne Sparlin (**derrydean@aol.com**)

Vous vous rappelez l'hommage que Patrick Boyer a rendu à sa femme? Corinne devait prononcer un discours le 26 octobre 1995, à Toronto, après avoir été nommée «femme d'influence» par le magazine canadien *Châtelaine*. Sachant qu'elle ne vivrait pas jusqu'à cette date, Corinne a enregistré son allocution sur vidéocassette pendant le week-end de la fête du Travail, dans son jardin. Elle est décédée la semaine suivante. Son mari, Patrick, a participé à la création d'un fonds pour la recherche sur le cancer des ovaires à l'université d'Ottawa, au Canada. Voici le discours de Corinne :

Je m'appelle Corinne Boyer. Mon message porte sur la santé, et plus particulièrement sur la santé des femmes!

Il est merveilleux de jouir d'une bonne santé! Beaucoup d'entre nous n'ont pas ce privilège, mais le seul fait d'être en vie est une bénédiction... et meilleure est notre santé, plus nous avons d'ardeur et d'énergie à consacrer à ces activités créatrices dont notre monde a désespérément besoin.

Bien entendu, la santé en elle-même est la capricieuse conséquence de nombreux facteurs – tels que nos gènes, notre environnement, notre régime alimentaire. Elle est également tributaire de nos espérances, de notre âge, de notre état d'esprit. Elle peut également être altérée par les séquelles d'un accident ou par la présence de la maladie.

Notre santé varie en fonction de toutes ces conditions. Et, tôt ou tard, elle touchera les aspects mêmes de la vie dont nous sommes issus.

Le taux de mortalité dans ce pays [Canada] est, après tout, élevé. Très élevé. Il est de 100 %.

Toutefois, nous ne sommes pas des passagers impuissants dans ce voyage de la vie, et il existe plusieurs mesures que chacun d'entre nous pouvons prendre pour adopter une attitude responsable vis-à-vis de notre bien-être.

C'est de ça dont je veux vous parler ; c'est le but de mon message.

Très tôt un vendredi matin, en mai 1994, je me suis rendue à l'hôtel Royal York de Toronto pour y prendre le petit-déjeuner. C'était loin d'être une rencontre intime – j'ai plutôt rejoint 1 200 autres femmes dans l'immense salle de conférence de l'établissement – et le sujet de notre discussion avait un caractère très personnel si bien qu'il nous a certainement rapprochées.

Notre rencontre se déroulait sous le thème de la vie, et de la mort, un thème exposé dans des contextes dont seules les femmes peuvent faire l'expérience.

Nous étions là pour appuyer la Genesis Research Foundation *– un organisme qui, depuis plus d'une décennie, apporte son soutien financier à la recherche médicale sur des problèmes de santé strictement féminins.*

On m'avait demandé de prononcer quelques mots à titre de patiente après les exposés des médecins et des chercheurs.

J'étais peu disposée à aborder des sujets très personnels, et j'avais d'abord décliné l'invitation. Mais j'ai senti une immense déception dans la voix de mon médecin qui m'avait demandé de parler de mon expérience du cancer. Il était persuadé que mon histoire aiderait d'autres femmes. Je l'ai donc rappelé – pour dire « oui, je prendrai la parole. »

J'allais dévoiler une partie de mon intimité en public.

Lorsque je me suis levée pour parler, cela a été plutôt facile – car je n'avais qu'un message tout simple à transmettre : chacun d'entre nous est le meilleur gardien de sa santé. Chacun d'entre nous est le premier responsable de son bien-être.

Nous dépendons bien sûr des autres – comme des omnipraticiens et des médecins spécialistes – mais on ne peut nier le fait que dans ce partenariat, chacun d'entre nous a sa part de responsabilité en tant

qu'individu. Je suppose qu'on m'a demandé de prononcer ces quelques mots parce que j'étais la preuve vivante de cette théorie que j'avançais.

Permettez-moi donc de vous faire part de trois exemples que j'ai donnés ce matin-là. Tout d'abord, en 1978, après l'examen général annuel de mon médecin de famille, et un peu plus tard celui de mon gynécologue, tous deux m'ont dit que j'étais en excellente santé – je n'avais qu'à prendre un rendez-vous pour l'année suivante.

Cependant, quelques semaines à peine après avoir reçu cette bonne nouvelle, j'ai constaté qu'une tache violacée que j'avais sur le mollet depuis des années avait commencé à s'agrandir.

J'ai consulté un dermatologue et j'ai subi une intervention chirurgicale moins d'une semaine plus tard. C'était un mélanome malin et il avait presque atteint le stade où il aurait pu entrer en contact avec le système lymphatique et se propager rapidement dans tout mon organisme.

Après l'ablation de ce mélanome et des tissus environnants, aucun autre traitement n'a été nécessaire – il fallait seulement que j'évite de m'exposer au soleil.

Si j'avais passivement attendu mon prochain examen annuel, je ne serais pas là aujourd'hui pour écrire ces lignes. C'était il y a 17 ans.

Mon deuxième exemple remonte à 1991. J'avais subi mon examen général annuel et mon examen gynécologique, ainsi qu'une mammographie. Encore une fois, je semblais être en parfaite santé – selon mes médecins.

Toutefois, quelques semaines plus tard, j'ai découvert une petite zone très sensible en me faisant un auto-examen des seins. J'ai appelé mon gynécologue, mais il s'est montré fort peu empressé à m'adresser à un chirurgien, affirmant : « Vous n'avez aucune raison de vous inquiéter. Votre mammographie est négative. »

Mais j'étais loin d'être rassurée, et j'ai insisté. Ma mère avait été emportée par un cancer du sein trois ans auparavant. C'est à contrecœur que mon gynécologue m'a donné le nom d'un chirurgien. Ce dernier a prescrit une autre mammographie. Elle n'a révélé aucune anomalie, mais pour plus de certitude, il a décidé de pratiquer une chirurgie exploratrice.

J'ai subi une tumorectomie, et il a été confirmé qu'il s'agissait bien d'un cancer du sein – à un stade plutôt avancé. Cette intervention a été suivie d'une série de 21 traitements de radiothérapie... et c'est tout.

Mon troisième exemple se situe deux ans plus tard. Au début de 1993, j'ai eu quelques saignements et je suis allée consulter – comme vous pouvez l'imaginer – un autre gynécologue.

Il a recommandé une échographie suivie d'une dilatation-curetage (DC). Après ces interventions, on m'a dit que tout était normal, et que l'échographie ne révélait qu'une petite masse bénigne dont il ne fallait pas s'inquiéter.

Cependant, la DC n'avait pas réglé mon problème – et le gynécologue m'a dit que ces quelques saignements n'avaient rien d'anormal et qu'ils cesseraient tôt ou tard.

Insatisfaite de sa réponse, et surtout après deux autres mois de saignements, j'ai consulté un autre gynécologue.

Ce dernier s'est montré du même avis que son confrère et a réitéré que « ces saignements ne dureraient pas éternellement. »

Quelques jours plus tard, alors que je me trouvais à l'hôpital pour l'examen trimestriel qui faisait partie du suivi entourant mon cancer du sein, j'ai décidé d'en parler à mon oncologue et je lui ai demandé s'il était possible qu'on me fasse une autre échographie. Inquiet, il a aussitôt pris les mesures nécessaires.

Cet examen a confirmé ce que, intuitivement, j'avais craint. J'avais deux tumeurs, et elles semblaient être malignes. Donc, pour la troisième fois, on me découvrait un cancer. Il s'agissait d'un foyer primitif, et non de métastases attribuables au cancer du sein. Cette fois, c'était ce cancer que les femmes appellent « la pire des calamités – le cancer des ovaires ».

Dans la vie, il n'y a jamais de bon moment pour les mauvaises nouvelles. Dans mon cas, la découverte de ce cancer ovarien au début de 1993 a coïncidé avec une période d'activités professionnelles très prenantes, tant pour mon mari, Patrick, que pour moi. Il était candidat à la direction du parti progressiste-conservateur du Canada et je consacrais toute mon énergie à sa campagne.

Nous avons appris cette mauvaise nouvelle la veille même du premier débat télévisé réunissant tous les candidats. J'ai insisté pour que Patrick n'abandonne pas la course au leadership, car nous croyions tous deux en l'importance du message qu'il avait à transmettre aux Canadiens. J'ai tout simplement dit à mon médecin que l'intervention chirurgicale devrait attendre.

J'ai donc été opérée en juillet et j'ai aussitôt entrepris mes traitements de chimiothérapie. J'étais préoccupée par le fait qu'il me faudrait subir une deuxième intervention chirurgicale à mi-chemin de ces traitements. Mon chirurgien a sagement recommandé que cette intervention soit reportée au lendemain des élections générales du 25 octobre. Quant à eux, les électeurs d'Etobicoke-Lakeshore ont sagement décidé que Patrick devrait s'absenter temporairement du Parlement afin de passer davantage de temps avec moi pendant ma convalescence, de faire des courses et de cuisiner.

Cela a été le bon côté de sa défaite électorale. (En fait, personne ne savait que je souffrais d'un cancer. Je ne voulais pas que les gens me parlent à voix basse d'un ton plein de sollicitude, comme à une « malade». Je préfère une attitude empreinte d'optimisme). Mes traitements de chimio se sont poursuivis à toutes les trois semaines jusqu'en janvier 1994. Ma numération globulaire était revenue à la normale et la situation était encourageante.

C'est à cette époque-là que j'ai prononcé mon allocution au petit-déjeuner-bénéfice de la fondation Genesis. Le cancer m'a appris quatre leçons.

Premièrement, notre médecin ne détecte pas toujours ce qui peut mettre notre vie en danger. Dans ce «partenariat», il appartient à chacune d'entre nous d'écouter nos intuitions et, d'une certaine manière, de devenir notre propre médecin. Renseignez-vous le plus possible sur le problème de santé qui vous touche. Il convient de poser des questions pertinentes à votre médecin. Agissez, ne restez pas passive! Mon message ne s'applique pas qu'à la santé – il fait également appel à votre intuition et à votre sens de la justice. Je le répète : ne restez pas passive!

Deuxièmement, lorsque vous êtes persuadée que quelque chose ne va pas, travaillez de concert avec votre médecin et n'acceptez rien de moins que toute son attention et des explications satisfaisantes.

Troisièmement, si vous êtes dans le doute, consultez un autre médecin.

Quatrièmement, je crois que, comme dans toute bataille, la meilleure façon de vaincre est de recourir à toutes les armes disponibles.

*Donc, dans ma bataille contre le cancer des ovaires, je me suis pliée de bonne grâce à la chirurgie et à la chimiothérapie, j'ai eu recours à la naturopathie, je n'ai rien changé à mon alimentation qui avait toujours été faible en gras, j'ai bénéficié du soutien de Wellspring, un organisme fondé par mon angélique amie Anne Armstrong dans le but d'aider les malades et leur famille à gérer les aspects non médicaux de la lutte contre le cancer. Puis j'ai été spirituellement inspirée par le pouvoir des prières de très nombreux amis, j'ai été impressionnée par l'attitude positive prônée par le D*r* Bernie Siegel, et tout cela n'a fait qu'ajouter à mon entêtement purement hollandais et m'encourager à ne pas abandonner la partie!*

Mon attitude se résumait à ceci : j'ai le cancer, le cancer ne m'a pas.

J'ai terminé mon discours. J'étais heureuse d'avoir réussi à surmonter ma nervosité et d'avoir su parler aussi ouvertement à de parfaits inconnus. Cela m'avait donné l'occasion de faire passer un message vital. Et puis, cela avait aussi été pour moi une façon de dire «merci» à tous ceux qui m'avaient aidée – et qui aident jour après jour d'autres femmes dans leur combat vers la victoire. La vie vaut la peine d'être vécue!

Par la suite, en octobre 1995, on m'a demandé de faire un discours dans le cadre d'un de ces dîners-conférences honorant une «femme d'influence». C'est avec plaisir que j'ai accepté cette invitation, car si mon message pouvait toucher et inspirer encore davantage de femmes, j'aurais le sentiment d'avoir pu les guider, d'avoir ouvert une nouvelle voie devant elles.

Toutefois, comme je l'ai déjà dit, il n'y a jamais de bon moment pour les mauvaises nouvelles. Permettez-moi de m'expliquer.

Dans un compte rendu de mon discours publié par un magazine féminin, le journaliste a voulu citer mes mots : «J'ai le cancer, le cancer ne m'a pas.»

En faisant cette affirmation, je voulais traduire une attitude, un état d'esprit. MA détermination à ne pas laisser la maladie me subtiliser mes pensées et mes buts. Cette approche n'a jamais cessé d'être la mienne, et je peux vous assurer qu'elle m'a été largement plus bénéfique que si je m'étais apitoyée sur mon sort. Nous sommes tous tellement plus beaux lorsque nous sourions !

Mais lorsque le magazine a été publié, les derniers mots de ma phrase ont été omis par inadvertance. On pouvait maintenant lire : « J'ai le cancer, le cancer... »

Mais le cancer était réapparu au cours de l'année. Je suppose qu'il n'avait jamais été enrayé. C'était un fait, et il y avait un autre fait, tout aussi déplaisant.

Le traitement disponible, pour moi et pour toutes les Canadiennes atteintes d'un cancer des ovaires aujourd'hui (1995), est le même qu'il y a 40 ans. Plus de trois décennies de recherches médicales n'ont pratiquement rien apporté de nouveau.

Est-ce là ma façon de protester contre ce qui m'arrive ? Non – je m'insurge contre ce qui arrive à toutes les femmes. Ou, plus exactement, à ce qui ne leur arrive pas. J'accepte mon sort, et j'envisage avec sérénité la vie entièrement spirituelle qui m'attend. Mais ce à quoi je ne me résigne pas – et personne ne le devrait – c'est l'injustice qui est faite aux femmes lorsqu'on considère les sommes dérisoires qui sont consacrées à la recherche sur les maladies gynécologiques.

Quatre-vingt-cinq pour cent des femmes canadiennes souffriront d'un problème de santé spécifiquement féminin au cours de leur vie. Cependant, seulement 3,5 % des fonds alloués à la recherche médicale sont affectés à ces maladies qui sont propres aux femmes.

Vous devriez être aussi révoltés que moi. Faites quelque chose ! Ne restez pas passifs ! Nous sommes responsables de notre propre bien-être – mais nous avons également besoin d'un véritable partenariat en matière de soutien.

Il faut passer à l'action... Il faut vous ouvrir à toutes les nouvelles possibilités, vous montrer constructifs et, je vous en prie, ne restez pas passifs ! Je le dis encore une fois : nous sommes responsables de notre propre bien-être.

J'espère que ma vie et ma détermination pourront vous éclairer : souriez – et puis agissez !

Laurie Levy vit à Chicago et est écrivaine. Elle a souffert d'un cancer des ovaires et a neuf années de survie à son actif. Elle est l'auteure de trois ouvrages et de nombreux articles. Ses propos qui appellent à l'action et au courage se font l'écho du message de Corinne Boyer.

Laurie nous raconte son histoire.

Réflexions sur le cancer des ovaires – et sur moi

Je ne suis pas une froussarde. J'avais connu trop d'années difficiles avant d'être atteinte du cancer et je n'étais pas de celles qui baissent les bras.

Ces premières difficultés sont intéressantes : un brin de célébrité, mais pas assez. J'étais (et je suis) une auteure assez bien connue; je signais des rubriques dans des journaux et des articles dans des magazines, à Chicago et un peu partout aux États-Unis. En 1992, un an avant d'être frappée par le cancer, j'ai signé un article-couverture dans le Chicago Tribune Magazine, *et deux semaines plus tard, ce même magazine a publié une de mes nouvelles dans ses pages littéraires – c'était à cette époque (très brève) où le* Tribune *publiait les œuvres de fiction de certains des meilleurs écrivains de la ville.*

Cela avait été un très bon mois.

Mais j'avais encore un roman à terminer. J'aurais voulu qu'on publie davantage de mes œuvres, bien que plusieurs de mes nouvelles aient paru dans d'importants magazines littéraires et que j'achevais mon troisième ouvrage non romanesque.

Mais je n'étais pas satisfaite.

J'avais laissé mon mari à deux reprises – en 1980 et en 1987. À chaque fois, il s'était débarrassé de l'une de ses mauvaises habitudes : jeu, alcool, femmes, et tout ce qui caractérise la vie d'un noceur. Il les a abandonnées une par une : d'abord le jeu (parce qu'il n'avait plus d'argent à perdre), ensuite l'alcool, ensuite les femmes, etc.

En 1993, l'année où j'ai appris que j'étais atteinte du cancer, je venais d'obtenir une subvention du Illinois Arts Council, et j'étais allée en France et en Italie faire des recherches pour mon roman – et, bien entendu, j'avais rencontré un Italien...

Mais lorsque le cancer a frappé, j'ai pris la résolution de m'en sortir. Je ne peux pas dire que je n'ai pas été terrassée par cette nouvelle. Le cancer des ovaires anéantit. Mais j'ai suivi un traitement de radiothérapie et j'ai repris le train-train quotidien. Mon mari m'appelait chaque jour pour savoir si j'avais besoin de quelque chose. J'ai continué à aller de l'avant.

Mais, six mois plus tard, on a découvert une nouvelle tumeur lors d'un examen de routine chez mon ancien gynécologue. Cette fois, je suis allée consulter un autre gynécologue oncologue. Les failles du système à l'hôpital Northwestern avaient fait en sorte qu'il m'avait laissée tomber et ne m'avait jamais demandé de me présenter pour un examen de suivi.

C'est une « drôle de sensation » qui m'avait poussée à retourner voir mon ancien gynécologue, et cette fois j'ai eu peur. Le processus de guérison a été plus long. J'ai reçu mon premier traitement de chimio à l'hôpital. Et j'ai recommencé mon combat.

J'ai été consternée par la perte de mes cheveux. Je n'ai jamais accordé une importance exagérée à mon apparence, mais en tant que rédactrice en chef d'une section sur la mode (pour le North Shore Magazine) et ayant déjà signé des rubriques « Beauté » dans le Chicago Tribune et le North Shore Magazine), je m'efforçais de bien paraître. Non, plus que bien. Cela remontait aux années que j'avais passées à New York après mes études, lorsque j'avais remporté le concours étudiant du magazine Mademoiselle. En fait, j'avais gagné un lavage de cerveau pour tout ce qui avait trait à la mode !

Il est intéressant de noter que je n'ai jamais su à quel point j'étais belle lorsque j'étais jeune. Je n'en ai pris conscience que plus tard, alors que ma jeunesse s'était enfuie (et ma beauté aussi) ! Avant de mourir, ma mère m'a dit que j'avais été très belle. Je lui ai demandé pourquoi elle ne m'en avait pas parlé quand cela avait de l'importance !

De toute façon, je savais que je n'étais pas le genre de femme à porter des foulards ou des chapeaux, ni à rester chauve. Je me suis aussitôt rendue chez le meilleur perruquier de Chicago. J'ai acheté deux perruques et je les ai portées jusqu'à ce que mes (longs) cheveux gris repoussent entièrement, plusieurs mois après mon sixième traitement de chimio.

J'adorais mes perruques. Les gens disaient que j'avais l'air bien portante. Ça me plaisait, même si je savais que ce n'était pas particulièrement vrai. Ma peau était terne, mes sourcils et mes cils étaient clairsemés.

J'ai traversé de nombreuses périodes où j'ai été envahie par la peur et le découragement. J'ai laissé ma famille m'aimer et me réconforter. J'avais toujours fait de même avec ma fille et mon fils, et maintenant je les autorise (ainsi que leurs conjoints) à faire des choses pour moi.

J'autorise mon mari (nous ne vivons plus ensemble, mais nous n'avons jamais divorcé) à faire des choses pour moi. J'autorise mes amis à faire des choses pour moi. Tout cela était très inhabituel, car j'avais toujours été celle qui aidait tout le monde. (Je suis maintenant prête à reprendre mon rôle)!

J'étais en colère contre mon médecin à cause de son manque de compassion. Un ami m'a offert les ouvrages du cancérologue Bernie Siegel et, petit à petit, tout au long de ces dernières années, j'ai compris que le médecin **ne peut pas** se permettre de nouer de liens très intimes avec ses patients, et qu'il est nécessaire qu'il garde ses distances. Mais j'ai remarqué que, depuis un an, il m'accueille toujours plus chaleureusement à chacun de mes rendez-vous de suivi; je crois qu'il est très heureux que j'aie survécu (jusqu'à maintenant).

En juillet, cela fera neuf ans que j'ai terminé mon dernier traitement de chimiothérapie. Il semble que je vais m'en sortir. Je suis presque prête à aborder le sujet dans un roman (je l'ai déjà fait dans quelques articles de journaux), mais je suis prisonnière d'une sorte de superstition : si je parle de moi et du cancer des ovaires dans une œuvre littéraire, le cancer reviendra! (Je sais que c'est absurde, mais...)

J'ai fait la connaissance de Liz Tilberis (éditrice en chef de Harper's Bazaar, emportée par le cancer des ovaires) lorsque je l'ai interviewée pour l'un de mes articles. J'ai eu le cœur brisé lorsqu'elle est décédée. La seule leçon que j'ai apprise, c'est que **si** le cancer frappe (à nouveau), il faut le combattre comme on l'a combattu la première fois, et ne jamais baisser les bras. C'est une guerre.

Je prie pour que nous la gagnions, pour que nous soyons toutes victorieuses. Je prie pour que le dépistage précoce devienne une réalité avant que ma fille et mes deux magnifiques petites-filles doivent y faire face. Le cancer du sein a emporté ma sœur – elle me manque. Je crois que c'est tout ce que j'avais à vous dire. Et à toutes celles qui livrent actuellement le combat de leur vie, je dis : COURAGE!

Comme l'a écrit un psalmiste :

«Non, je ne mourrai pas, je vivrai.»

(Les Psaumes 118,17), *La Bible de Jérusalem*

146

«Là-haut les nuages s'unissent et se défont,

La brise dans la cour part et puis revient.

Telle est la vie, alors pourquoi s'en faire?

Qui peut nous empêcher de nous réjouir?»

LU YU[20]

LA FATIGUE ET LE STRESS

Quelques-unes des principales causes de fatigue

- Stress prolongé;
- Chirurgie;
- Ménopause, troubles hormonaux;
- Hyperthyroïdie et maladies chroniques;
- Médication et chimiothérapie;
- Anémie.

Qu'est-ce que la fatigue associée au cancer?

La fatigue, ou asthénie, peut être attribuée à de nombreux facteurs tels que l'anxiété, le stress, une modification du régime alimentaire ou des troubles du sommeil. Il existe aussi un autre type de fatigue, beaucoup plus intense, qui peut carrément vous empêcher d'effectuer la majorité des activités de la vie quotidienne.

---

20. Wayne Muller, *How, Then, Shall We Live?* New York : Bantam Books, 1996, p. 219.

Combien de patients cancéreux souffrent de fatigue?

La fatigue associée au cancer touche 78 % des patients qui suivent un traitement de chimiothérapie, et nombreux sont ceux qui la décrivent comme une totale absence d'énergie. Environ 60 % de ces patients affirment que la fatigue diminue leur qualité de vie plus que tout autre effet secondaire, incluant les nausées, la douleur et la dépression. Et 89 % d'entre eux disent éprouver des difficultés à effectuer leurs activités quotidiennes.

Debra Waterhouse écrit :

Lorsque vous vous sentez fatiguée, acceptez le fait que vous êtes fatiguée. Votre corps vous parle – il essaie d'attirer votre attention et de vous dire que votre réservoir de carburant est presque à sec, que vous dépensez plus d'énergie que vous n'en emmagasinez. Il vous offre quelques solutions :

Soit économiser votre énergie : minimiser vos activités, faire une pause, reporter un rendez-vous, faire une sieste, méditer, vous soustraire à des engagements peu satisfaisants, annuler un rendez-vous avec un ami qui vous épuise, ou laisser la lessive attendre jusqu'au lendemain dans son panier.

Ou soit faire le plein : prendre un repas nourrissant, s'offrir une collation, boire un verre d'eau, aller se promener d'un bon pas, s'offrir une bonne nuit de sommeil, respirer profondément, paresser au soleil, ou donner à votre vie quelques touches d'intimité, de plaisir, de rire et de jeu.

Que disent les médecins à propos de la fatigue?

Jane Poulson, M.D. :

La fatigue associée au cancer n'est pas une fatigue normale; elle est unique en son genre. Pour la contrer, il ne suffit pas de faire la sieste l'après-midi ou de dormir une heure de plus pendant la nuit. Nous avons fait beaucoup de progrès en ce qui a

trait au traitement de la douleur cancéreuse et des vomissements provoqués par la chimiothérapie.

Mais ce n'est qu'un début. La plupart des patients cancéreux affirment souffrir de fatigue. Nous devons nous pencher sur les causes, la physiopathologie et le traitement de ce symptôme subtil pouvant entraîner la dépression, et qui, peut-être plus que tout autre, mine le moral des patients.[21]

Robert Buckman, M.D. :

La fatigue, et même l'épuisement, sont des problèmes fréquemment observés chez tous ceux qui souffrent d'une maladie grave. Les patients cancéreux ne font pas exception, plus particulièrement pendant et après le traitement (chimiothérapie et radiothérapie). De nombreux patients se trouvent dans un tel état de fatigue qu'ils doivent passer la majeure partie de la journée au lit ou en position assise. Et souvent le simple fait de se déplacer et de vaquer à de menues corvées vient à bout de leur résistance.

Par exemple, ils peuvent entreprendre une tâche – disons faire la vaisselle – et puis se rendre compte après seulement quelques minutes qu'ils sont épuisés et incapables de continuer. C'est souvent déprimant et parfois inquiétant. Permettez-moi toutefois de souligner que ce genre de fatigue est très courant.

Si cela vous arrive, dites-vous qu'elle est « normale étant donné les circonstances » et ne vous vous laissez pas abattre psychologiquement. Dites-vous que vos moyens sont pour l'instant limités et apprenez à connaître vos limites. Vous verrez que vos forces reviendront petit à petit. Et c'est tant mieux. Ne vous laissez pas aller au découragement, car cette fatigue est un phénomène très courant.[22]

---

21. Jane Poulson, M.D., *Canadian Medical Association Journal*, 30 juin 1998. Atteinte d'un cancer du sein, le D[re] Poulson suivait à cette époque un traitement de chimiothérapie. Elle est décédée en 2002.
22. Robert Buckman, M.D., *What You Really Need to Know about Cancer*, Toronto : Key Porter, 1995, p. 277.

Le stress prolongé

Les femmes qui luttent contre le cancer des ovaires subissent habituellement un stress continuel, ce qui entraîne une grande fatigue. Parfois, le stress et la fatigue peuvent être des signes de dépression, ce qui est un problème beaucoup plus sérieux. Le sentiment d'avoir perdu tout intérêt pour la vie, des difficultés à se concentrer, la léthargie et le désespoir peuvent aggraver la fatigue.

Une étude récente, réalisée par des chercheurs du *M.D. Anderson Hospital*, révèle que 31 % des patientes atteintes du cancer des ovaires reçoivent un diagnostic de dépression clinique et que 29 % d'entre elles dépassent le 75e centile sur l'échelle de l'anxiété.

Faire face à la dépression

Si vous pensez souffrir de dépression, consultez votre médecin. Il existe de nombreuses stratégies pour vous aider à la surmonter. Vous n'êtes pas seule et les moyens ne manquent pas.

Renseignez-vous sur les services de counselling. Presque tous les centres anticancéreux offrent de tels services. Communiquez avec le bureau de la *Société canadienne du cancer* de votre région pour connaître ceux qui sont offerts près de chez vous ou joignez-vous à un groupe d'entraide spécifiquement formé pour aider les femmes atteintes du cancer des ovaires.

Mesures à prendre :

- Composez le numéro sans frais de la *NOCA*: 1 877 413-7970.
- Communiquez avec le service d'information de la *Société canadienne du cancer* au 1 888 939-3333.
- Joignez-vous à des groupes d'entraide en ligne, en vous inscrivant par exemple à la liste *OVARIAN de l'Association of Cancer Online Resources*: **http ://www.acor.org**.

Quelques liens utiles :

- Association canadienne pour la santé mentale : **www.cmha.ca/french**

- Un guide pour faire face au cancer gynécologique, publié par le *Réseau canadien pour la santé des femmes* (en anglais seulement) : **http://cwhn.ca/gyn_cancer/index_gyn.html**.

Évaluez votre degré d'épuisement

Réfléchissez aux questions suivantes :

- En quoi la fatigue affecte-t-elle votre vie?
- À quel moment de la journée vous sentez-vous le plus fatiguée?
- Pendant combien de temps vous sentez-vous fatiguée?
- Quelle est l'intensité de votre fatigue?
- Jusqu'à quel point la fatigue vous empêche-t-elle d'effectuer vos activités quotidiennes?
- De quels symptômes d'ordre physique, émotionnel et psychologique souffrez-vous?
- En quoi cette fatigue vous touche-t-elle sur le plan personnel?

Faites part du résultat de vos réflexions à votre médecin ou à une infirmière du service d'oncologie.

À la défense de la tristesse, par Karen Ritchie, M.D.

On demande aux personnes atteintes du cancer de conserver une attitude positive. La pensée positive est devenue une norme, et ceux qui n'ont pas de pensées positives, ou qui sont incapables d'en avoir, se sentent souvent coupables de ne pas se montrer à la hauteur de la situation.

Mais un diagnostic de cancer est une triste nouvelle. La maladie entraîne inévitablement une perte, même chez ceux qui en guérissent. Les personnes qui sont atteintes d'un cancer se voient privées de certaines parties de leur corps. Le cancer lui-même, ou son traitement, peut les rendre très malades. En plus d'y perdre leur santé, ces personnes ne voient plus l'avenir avec optimisme et sérénité. Certaines perdent même des amis, eux-mêmes incapables de faire face à ces pertes.

Ceux qui veulent croire et laisser croire que tout va bien doivent en payer le prix. La fausse gaieté exige une dépense d'énergie à un moment où ils en ont justement peu en réserve. La malhonnêteté émotionnelle tient les autres à distance.

Nous vivons dans une société qui ne reconnaît pas la tristesse comme faisant partie intégrante de la vie, qui y voit une preuve de faiblesse ou de défaillance morale. La tristesse est mal vue, c'est une barrière sociale qui met les autres mal à l'aise. Les personnes atteintes de cancer qui feignent l'optimisme et la bonne humeur rendent peut-être les choses plus faciles pour leur famille et leurs amis, et pour les professionnels de la santé, mais elles se privent en même temps de faire face à leur propre chagrin.

La tristesse n'est pas synonyme de dépression. La véritable dépression peut s'exprimer par un sentiment de désespoir, par l'impression qu'un voile terne enveloppe toutes choses. Elle peut se traduire par des pensées obsessives, une culpabilité paralysante, ou une incapacité à affronter la journée et à accomplir les tâches quotidiennes. La dépression est un trouble psychologique qui doit faire l'objet d'un traitement.

Mais la tristesse fait partie de la vie. Nous sommes tristes parce que la vie ne correspond pas à nos rêves, parce que nous perdons ce que nous aimons et ce dont nous avons besoin, parce que les autres nous laissent tomber. Parce que notre corps nous laisse tomber.

Bien que la personne atteinte de cancer essaie généralement de redevenir la personne qu'elle était auparavant, elle ne sera plus jamais tout à fait la même. Ceux qui acceptent d'être tristes sont en mesure de reconnaître leurs pertes et de les pleurer. En admettant que leur ancienne vie et leur ancien moi sont disparus à jamais et en acceptant ce fait, ils peuvent alors se créer un nouveau moi en accord avec la nouvelle situation. Ils voient la vie sous un autre jour.

Celui ou celle qui veut aider une personne atteinte de cancer peut le faire en lui permettant d'être elle-même, de laisser libre cours à ses sentiments. La personne malade a besoin d'une épaule sur laquelle pleurer, de quelqu'un que sa tristesse ne mettra pas mal à l'aise. En nommant ses pertes, elle peut les pleurer, et se tourner ensuite vers le prochain chapitre de sa vie.[23]

23. Karen Ritchie, M.D., *Phoenix Medical Associates*, Kerrville, Texas
    (**CancerScripts.org**). Copyright © 2000.

Dawn Nelson a travaillé pendant une dizaine d'années auprès de personnes malades ou mourantes après avoir elle-même reçu un diagnostic de cancer ovarien qui a irrévocablement changé sa vie. Elle a pris la décision d'en apprendre le plus possible auprès de ce «grand maître», et elle affirme maintenant que ce diagnostic de cancer a été l'une des meilleures choses qui lui soit arrivées.

Le cancer peut devenir un ami, par Dawn Nelson

Il y a quelques semaines, après avoir reçu un diagnostic de cancer, j'ai pris une décision. Tous ces stéréotypes entourant la lutte contre le cancer ne résonnaient pas en moi. Même si j'étais prête à tout faire pour recouvrer ma santé, j'ai ressenti le besoin de trouver des moyens plus positifs d'aborder la situation et sur lesquels appuyer mon processus de guérison. L'idée d'héberger des cellules cancéreuses ne me plaisait pas du tout et j'ai commencé à prendre des mesures pour m'en débarrasser. Toutefois, il m'apparaissait inutile de considérer ce cancer comme un ennemi. Je voulais en tirer le plus de leçons possible et, pour moi, cela voulait dire trouver le moyen de m'en faire un ami. Voici ce que j'ai découvert.

Le cancer devient un ami lorsqu'on écoute son appel à la conscience, lorsqu'on lui permet de changer notre vie. On ralentit le rythme. On demeure à l'écoute de son corps. On cesse de faire les choses que l'on n'a pas vraiment envie de faire ou besoin de faire. On respecte son corps. On passe du temps avec les gens dont la présence nous fait du bien.

Le cancer devient un ami lorsqu'on remarque tous les petits miracles qui se produisent chaque jour – le chant des oiseaux dans la fraîcheur du matin, le parfum ensorcelant d'une rose aux pétales roses, la mélodie de la pluie, la tendre douceur du sourire de vos enfants, la constance des vagues océanes, l'exquise beauté du soleil couchant, la présence de l'être aimé – et que vous ne remarquiez pas avant le diagnostic, ou que vous étiez trop «occupée» pour apprécier à leur juste valeur.

Le cancer devient un ami lorsque vous laissez entrer l'amour dans votre vie. Vous ouvrez votre cœur. Vous dites la vérité. Vous demandez de l'aide. Vous acceptez l'extraordinaire générosité de vos amis. Vous

acceptez de recevoir après avoir donné. Le cancer devient un ami lorsque vous lui permettez de vous indiquer ce qui est important dans la vie et ce qui l'est moins, lorsque vous établissez avec lui une relation qui vous ouvre de nouveaux horizons, lorsque vous voyez en cet invité non invité une occasion d'apprendre et de grandir.

Le cancer devient un ami lorsque vous acceptez la myriade de cadeaux et de joies qu'offre la vie. Vous ne perdez pas de temps à vous apitoyer sur ce que vous ne pouvez pas changer ou ce que vous souhaiteriez être différent. Vous dansez lorsque vous le pouvez, vous pleurez lorsque vous en avez besoin. Vous mettez l'accent sur ce que vous avez et non sur ce que vous n'avez plus. Vous optez pour la reconnaissance et le pardon. Le cancer devient un ami lorsque vous le regardez en face, sans le détester, lorsque vous l'admettez et acceptez ce qu'il peut vous enseigner, et lorsque vous poursuivez votre route, un pas à la fois.[24]

La chirurgie

Le traitement du cancer des ovaires exige une intervention chirurgicale majeure. Il est tout à fait normal de se sentir fatiguée pendant des semaines après l'intervention. De plus, la brusque ménopause et la brutale carence hormonale qu'elle provoque entraînent des symptômes associés à une diminution des taux d'œstrogène.

Vous aurez peut-être de la difficulté à dormir, à vous lever tôt, ou à trouver de nouveau le sommeil après vous être réveillée au beau milieu de la nuit. Vous serez peut-être tirée du sommeil par des bouffées de chaleur ou le besoin d'aller aux toilettes. Vous serez peut-être d'humeur changeante. On soupçonne l'existence d'un lien entre le taux d'œstrogène et les émotions. De nombreuses femmes ont indiqué que leur humeur et leur bien-être s'amélioraient avec l'oestrogénothérapie. L'hormonothérapie substitutive (HTS) est une option à envisager avec prudence et doit faire l'objet de discussions approfondies avec votre médecin.

Il existe un excellent site Web à cet égard : **www.hystersisters. com/index.php** (en anglais seulement). Il regorge de témoignages

---

24. Reproduit avec la permission de *Findhorn Press*, **www.findhornpress.com**.

de femmes qui ont subi une hystérectomie en raison de divers problèmes de santé.

L'hypothyroïdie et les maladies préexistantes

L'hyperthyroïdie est liée à une insuffisance de la sécrétion hormonale thyroïdienne dans l'organisme. Bien que ce trouble de santé ne soit pas relié au cancer, il est très souvent une cause de fatigue, et plus particulièrement chez les femmes. Des études réalisées sur une grande échelle ont démontré que chez les femmes âgées de plus 65 ans, 1 sur 10 présente les signes précurseurs de l'hyperthyroïdie.

Le diagnostic est confirmé par une analyse qui mesure le taux de thyroxine (T4), une hormone thyroïdienne, et le taux de thyréostimuline (THS).

Le traitement consiste en l'administration de thyroxine, en doses progressives, jusqu'à ce que les taux sanguins de T4 et de TSH reviennent à la normale.

Rappelez-vous que même si vous avez reçu un diagnostic de cancer, d'autres maladies n'ayant aucun lien avec celui-ci pourront entraîner une sensation de fatigue et d'épuisement. Assurez-vous de consulter régulièrement votre omnipraticien et continuez à prendre la médication prescrite après en avoir parlé avec votre oncologue.

Voici un lien utile à cet égard : **www.thyroid.ca**.

Les médicaments et la chimiothérapie

Parallèlement à leurs traitements de chimiothérapie, de nombreuses patientes doivent prendre différents types de médicaments – analgésiques, antidépresseurs, anxiolytiques, et antiémétiques pour combattre la nausée. La fatigue est l'un des effets secondaires possibles de ces médicaments.

Nous vous recommandons de vous procurer tous vos médicaments à la même pharmacie. Le pharmacien peut alors vous informer des effets secondaires que peuvent entraîner ces médicaments et de leurs interactions.

La fatigue est un effet secondaire de la majorité des traitements de chimiothérapie. Généralement, elle diminuera vers la troisième ou la quatrième semaine suivant la fin du traitement. La majorité des gens retrouvent leur énergie et leur vitalité de façon progressive. Plusieurs mois sont parfois nécessaires. Soyez indulgente avec vous-même, et sachez que certains jours seront plus faciles que d'autres.

Stratégies pour faire face à la fatigue due à la chimiothérapie

Après un traitement de chimiothérapie, repérez quelles sont les journées où vous avez de l'énergie, ainsi que celles où vous n'en avez pas du tout. Si possible, essayez de dégager un schéma qui vous aidera à planifier vos activités quotidiennes en fonction de votre degré d'énergie.

Essayez de minimiser les symptômes pouvant entraîner de la fatigue – les nausées, la diarrhée et la constipation sont des problèmes courants.

Sachez toutefois qu'il est tout à fait possible que la chimiothérapie n'entraîne aucune fatigue chez vous. Il ne s'agit pas d'un phénomène invariable. Chacun réagit à sa manière à la chimiothérapie.

La chimiothérapie et l'anémie

Plus de 60 % des personnes qui suivent un traitement de chimiothérapie souffrent d'anémie. Elle est caractérisée par une diminution du nombre de globules rouges dans le sang et se traduit par une sensation de faiblesse et de fatigue, des étourdissements, de l'irritabilité, de la dyspnée (difficulté à respirer) et des frissons.

Pourquoi cela se produit-il?

La chimiothérapie peut réduire la capacité de production de globules rouges par la moelle osseuse. Ce sont ces globules rouges qui transportent l'oxygène dans toutes les parties du corps, leur fournissant ainsi l'énergie dont elles ont besoin pour fonctionner normalement.

• Les agents chimiothérapiques détruisent toutes les cellules qui se divisent rapidement, qu'elles soient cancéreuses ou saines, incluant les globules rouges.

- L'hémoglobine contenue dans les globules rouges transporte et libère l'oxygène dans tout l'organisme. L'oxygène agit comme un carburant en fournissant de l'énergie aux muscles et aux organes.
- Une carence en globules rouges fait chuter le niveau d'énergie.

Lorsque les agents anticancéreux privent les cellules sanguines de l'oxygène dont elles ont besoin, les cellules sont incapables d'accomplir leurs fonctions, et le patient aura tendance à ressentir une grande fatigue.

Pour assurer une motricité normale chez le patient anémique, le cœur tente de pallier le manque d'oxygène dans le sang. Il travaille plus dur afin d'accélérer le transport des globules rouges et d'oxygéner toutes les parties de l'organisme. À cause de cette surcharge de travail imposée au cœur, les effets de l'anémie se feront sentir plus fortement lors de n'importe quelle activité physique.

Votre médecin procédera régulièrement à une numération globulaire tout au long de votre traitement. Si le nombre de globules rouges est anormalement bas, vous devrez peut-être prendre des médicaments qui en stimuleront la production.

Questions à poser à votre médecin

Est-il normal de se sentir fatigué ou très faible lorsqu'on suit un traitement de chimiothérapie?

Comment faites-vous pour déterminer la cause de ma fatigue?

Suis-je anémique?

Quel est mon taux d'hémoglobine (et/ou de globules rouges)?

Si je suis anémique, quels sont les traitements disponibles?

Quelques liens utiles

www.anemiainstitute.net

www.cancersymptoms.org
(excellent site, qui s'adresse surtout aux personnes atteintes du cancer du poumon et qui contient une section « Questions »)

www.oncolink.upenn.edu/support/fatigue
(très détaillé – à voir)

www.carcersupportivecare.com
(également très détaillé)

Huit stratégies naturelles pour retrouver votre énergie

1. *Mangez sainement.* Le moment est mal choisi pour entreprendre un régime amaigrissant. Faites preuve de bon sens. Mangez de tout, mais avec modération. Augmentez votre consommation de protéines, de gras et d'hydrates de carbone. Mangez peu et plus souvent, et seulement lorsque vous avez faim.

2. *Buvez beaucoup d'eau.* Au moins huit grands verres par jour. La fatigue est le symptôme le plus courant de la déshydratation. Emportez une bouteille d'eau dans tous vos déplacements. Buvez un grand verre d'eau à chaque repas et à heure fixe trois fois par jour.

3. *Faites de l'exercice.* L'exercice stimule la production d'endorphines (substance présente dans le cerveau et qui provoque une sensation de bien-être). Il atténue l'anxiété et la dépression, et il améliore la qualité du sommeil. Sachez qu'un programme d'exercice en bonne et due forme n'est pas essentiel. Faire du jardinage, passer l'aspirateur ou éviter de prendre l'ascenseur sont des activités qui comptent tout aussi bien.

4. *Rapprochez-vous de la nature.* Il a été prouvé que le seul fait de sortir et de s'exposer davantage à la lumière du soleil fait augmenter le taux de sérotonine dans notre cerveau. Cela réduit le stress et améliore l'humeur. Les longs hivers canadiens peuvent

parfois nous empêcher de sortir régulièrement. La solution est de faire entrer la nature chez soi : faites pousser un petit jardin d'herbes sur le rebord d'une fenêtre ou achetez des fleurs ou une plante exotique.

5. *Dormez bien.* Offrez-vous de longues nuits de sommeil. Évitez de boire du café et de l'alcool après 16 heures et prenez un repas léger avant d'aller au lit. Un verre de lait chaud avec du miel ou une banane constitue une collation idéale.

6. *Privilégiez l'intimité.* L'intimité peut prendre différentes formes. Passez davantage de temps avec des amis qui vous font du bien. Mettez un terme aux relations négatives ; le moment est venu d'établir des frontières bien définies. Faites entrer un peu de volupté dans votre vie. Votre libido est peut-être plus faible, mais il existe d'autres moyens d'éprouver du plaisir physiquement – massage, traitement facial, caresser un animal ou l'étreinte d'un ami.

7. *Riez.* L'humour est un moyen fantastique de se sentir bien instantanément. Regardez des comédies, téléchargez des blagues et parlez avec des amis que vous trouvez amusants. Le rire est un excellent médicament.

8. *Minimisez le stress et la tension.* Il ne fait aucun doute que de recevoir un diagnostic de cancer est l'un des événements les plus stressants et épuisants que vous connaîtrez au cours de votre vie. Le moment est donc venu de raccourcir votre « liste de choses à faire ». Incorporez le repos et la relaxation dans vos activités quotidiennes.

«Je veux que vous sachiez que vous n'êtes PAS seule.

Il y a d'autres femmes qui ont lutté contre le cancer

et qui l'ont vaincu. Oh, comme j'aimerais que nous nous

retrouvions toutes autour d'une tasse de thé... et rien de plus.»

CINDY MELANCON, Amarillo, Texas

UNE BRÈVE «OVAIREVUE»[25] DE LA DOULEUR ET DU CHAGRIN

C'est une lourde tâche que de rédiger un court chapitre traitant de la douleur et du chagrin. Toutes celles qui luttent contre un cancer ovarien connaissent bien l'une et l'autre. Peut-être que le premier soldat est le chagrin, et que le deuxième combattant est la douleur. Et peut-être menez-vous votre combat différemment. Comme le proclamait un chanteur de blues dans les années 1970, «il y a de la place pour nous tous». Barbara Hemphill, coordonnatrice de la pastorale dans un hôpital de la région de Houston, a écrit un poème intitulé «Chanson et réponse». En voici un extrait :

> «J'aurais voulu pleurer sur ton épaule,
> mais tu ne me l'as pas permis.
> Chaque fois que je t'ouvre mon cœur, tu fuis aussitôt.
> Craignant la touche de la compassion, tu as refusé mon geste,
> Déguisant ta douleur sous des dehors si enjôleurs

---

25. Nom du bulletin publié par *Cancer de l'ovaire Canada*.

Que seul un regard pénétrant peut détecter ton angoisse,
Peut deviner que tu es terrifiée, seule et effrayée.
J'ai voulu te réconforter, m'asseoir à tes côtés dans l'obscurité.
Mais tu as refusé ma tendresse, tu te croyais brave. »[26]

«**Douleur :** 1– Sensation pénible, désagréable, ressentie dans une partie du corps. 2– Sentiment pénible, souffrance morale. »[27]

La douleur est probablement l'une des facettes du cancer qui cause le plus de frayeur et d'angoisse. Les gens supposent très souvent qu'un diagnostic de cancer est automatiquement synonyme de douleur. Certaines d'entre nous qui souffrons d'un cancer des ovaires n'avons éprouvé aucune douleur – ou très peu. Il y a toujours la morphine : dans notre sac à main, notre sac à dos, notre sac banane, etc., au cas où...

Les tumeurs cancéreuses sont généralement indolores. Qu'elle soit logée dans un sein, l'intestin, la peau ou dans presque n'importe quelle partie du corps, la tumeur n'est habituellement pas doulou-reuse. Et c'est ce qui rend le dépistage précoce si difficile. Ne pro-voquant aucune douleur, le cancer peut passer inaperçu dans les premiers stades de son développement.

Parfois, si la tumeur grossit d'une façon particulière, ou si le sys-tème immunitaire y réagit très fortement et provoque une inflam-mation dans la région tumorale, la personne atteinte pourra ressentir de la douleur à l'emplacement exact de la tumeur... mais c'est rarement le cas... Une tumeur peut aussi provoquer de la douleur autrement.

Les tumeurs peuvent exercer une pression ou interférer avec des parties adjacentes dans l'organisme – un os, un nerf, ou l'enve-loppe du foie, par exemple – ce qui peut provoquer une douleur provenant de ces organes ou tissus.[28]

26. Barbara Hemphill, «Song and Response», dans *The Circle Continues*, Judith Duerk ed. (Philadelphie, PA : Innisfree Press, 2001), p. 159. Reproduit avec la permission de l'éditeur.
27. *Le Petit Larousse illustré*, Paris : Larousse, 2001, p. 347.
28. Robert Buckman, M.D., *What You Really Need to Know about Cancer*, Toronto : Key Porter, 1995, p. 270.

Les tumeurs peuvent également être source de douleur si elles perturbent les fonctions normales de l'organisme. Par exemple, une tumeur – comme beaucoup de tumeurs ovariennes – peut gêner l'intestin et être à l'origine de spasmes lorsque ce dernier tente de faire progresser plus avant son contenu.

Debra Fisher, qui vit à Toronto, au Canada, a reçu un diagnostic de cancer ovarien alors qu'elle n'était qu'au début de la trentaine. Elle a travaillé auprès de diverses agences gouvernementales tout au long de sa carrière.

À l'âge de 20 ans, mon médecin m'a conseillé de cesser toute contraception orale. Cela faisait seulement un an que je prenais la pilule, mais elle avait fait grimper ma tension artérielle. Il m'a prescrit des hypotenseurs en précisant que je ne devrais plus jamais prendre la pilule. Il me fallait une méthode contraceptive, et j'ai donc opté pour le stérilet; le premier était fait d'une matière plastique recouverte de cuivre, mais je crois que cette substance a nui à mon organisme. De plus, j'étais très stressée à cette époque et mon omnipraticien m'a dit que je souffrais du syndrome du côlon irritable, car mes intestins ne fonctionnaient pas de façon optimale.

En 1984, j'ai subi une césarienne de convenance, et ma fille Amanda est née. J'étais tellement heureuse. Mais, à l'automne de cette même année, j'ai commencé à me sentir mal; j'avais de la difficulté à dormir et je me sentais très fatiguée. Je n'avais pas la force de me lever la nuit pour nourrir mon bébé.

On m'a conseillé de dormir pendant la journée, mais c'était impossible. C'est donc mon mari qui nourrissait notre bébé pendant la nuit, mais cela le contrariait beaucoup car il devait se lever tôt pour aller travailler. J'ai consulté mon médecin et il m'a dit que j'avais un lourd fardeau à porter étant donné que j'avais repris mon travail et il a suggéré que mon mari m'aide davantage. Mais il en faisait déjà assez.

Durant l'hiver qui a suivi, mon système immunitaire a montré des signes de défaillance. J'avais des rhumes à répétition. En janvier, j'ai changé d'omnipraticien et ce dernier m'a fait subir de nombreux tests. En juin 1985, il a été en mesure de confirmer que je souffrais de mononucléose, qui s'est par la suite transformée en syndrome de fatigue chronique. J'avais un gros feu sauvage et je me sentais très mal.

Mon médecin a aussitôt prescrit une analyse sanguine; j'étais en pleurs, je sentais que quelque chose n'allait pas. Je suis retournée à son bureau pour attendre les résultats de cette analyse. J'avais raison : mon organisme avait cessé de produire des globules blancs. Mon médecin m'a immédiatement envoyée au service des urgences du Wellesley Hospital afin que je sois examinée par un hématologue. Pendant trois jours, on a fait des prélèvements sanguins à toutes les quatre heures. Je suis demeurée hospitalisée pendant une semaine afin de me reposer; mais les médecins n'ont rien découvert, mis à part la mononucléose.

Deux semaines plus tard, le jour de mon 30ᵉ anniversaire, j'ai été transportée d'urgence à l'hôpital. Mon corps était couvert de bosses. On a effectué deux biopsies sur mon bras droit au service des urgences. Soupçonnant un cancer de la peau, on m'a de nouveau hospitalisée. Mon médecin parlait toujours de mononucléose et il a dit que j'étais allergique aux hypotenseurs.

J'ai également mentionné une douleur que je ressentais au côté droit depuis la naissance de ma fille, mais qui ne se manifestait qu'au moment de l'ovulation. Après vérification, on a soupçonné la présence d'un kyste. On m'a conseillé de consulter un gynécologue. J'ai passé dix jours à l'hôpital où l'on m'a administré un médicament appelé prednisone qui m'a beaucoup soulagée.

La douleur au moment de l'ovulation a persisté, et j'ai donc vu mon gynécologue en novembre 1985. Il m'a dit que la douleur n'était présente que pendant deux jours et que j'étais en mesure de la supporter. Il m'a suggéré de prendre du Tylenol, car il ne voulait pas m'opérer encore une fois. J'ai donc suivi son conseil.

En mai 1986, j'ai encore une fois été transportée d'urgence à l'hôpital à cause de violentes douleurs à l'abdomen. J'ai été admise et j'ai passé la majeure partie de la nuit au service des urgences. Les médecins n'avaient aucune idée de ce dont je souffrais. Au matin, mon gynécologue m'a fait subir quelques tests et il m'a annoncé qu'on devrait me faire une laparoscopie, car j'étais enceinte et qu'une intervention chirurgicale serait peut-être nécessaire.

De fait, j'ai été opérée en fin de journée pour une grossesse ectopique. Le chirurgien a enlevé le fœtus ainsi que ma trompe de Fallope droite. Pendant l'intervention, il a remarqué quelque chose sur l'un de mes ovaires et il a fait une biopsie. Il n'était pas en mesure de me donner les résultats de l'analyse pathologique, mais il m'a dit que si je voulais un autre enfant, il valait mieux que j'y songe sans tarder. Il m'a également demandé de le rappeler au mois d'août si je n'avais pas de ses nouvelles entre-temps. Le rapport du pathologiste avait été envoyé à Ottawa et à quelques autres endroits.

En août, j'ai appelé mon gynécologue pour lui parler de ce fameux rapport. J'étais au bureau lorsque le téléphone a sonné. C'était un oncologue du Wellesley Hospital; il voulait me voir. J'étais perplexe; j'ai aussitôt appelé mon gynécologue et je lui ai demandé : «Qu'est-ce qu'un oncologue? Et pourquoi est-ce qu'un médecin de l'hôpital m'appelle au sujet d'un problème gynécologique?» Il m'a dit que c'était pour écarter tout diagnostic de cancer et qu'il ne fallait pas m'inquiéter.

J'ai vu l'oncologue qui a décidé de pratiquer une laparoscopie. Elle a eu lieu le 26 septembre 1986. Il m'a dit que les résultats complets lui seraient envoyés dans quatre semaines. Je lui ai alors posé deux questions auxquelles il ne s'attendait pas. Est-ce qu'il s'agissait d'un cancer? Il a répondu par l'affirmative, et je lui ai ensuite demandé à quel stade il se trouvait. Il a précisé qu'il s'agissait d'un cancer au stade III.

C'était tout ce que je voulais savoir. J'ai téléphoné à mon ex-mari et je lui ai dit de s'asseoir – j'avais le cancer. En sortant de l'hôpital, je suis allée directement au bureau de mon omnipraticien; il m'a reçue immédiatement. Il a essayé de me calmer et il m'a prescrit des somnifères. À Noël, j'ai commencé à souffrir de crises de panique.

Lorsque j'ai revu l'oncologue, je lui ai annoncé que je souhaitais avoir d'autres enfants. Il m'a répondu qu'il me fallait donc devenir enceinte le plus tôt possible, car j'avais un cancer ovarien et que je devrais subir une hystérectomie. Six mois plus tard, on m'a fait un tomodensitogramme qui a révélé la présence d'une tumeur. Surpris, l'oncologue a immédiatement pratiqué une laparoscopie. Il s'agissait d'une opacité.

Six mois plus tard, l'oncologue m'a dit que l'hystérectomie ne pouvait plus attendre. Donc, en janvier 1988, j'ai subi une hystérectomie et une ovariectomie bilatérale; on a également fait l'ablation d'une partie de l'intestin et de quelques tissus du péritoine. Cela a été une intervention difficile, car j'ai fait une crise de panique sur la table d'opération. On m'a administré de la nitroglycérine. J'ai été instantanément ménopausée.

Cinq spécialistes s'occupaient de moi, se demandant ce qui m'arrivait. C'était comme un cauchemar; j'avais 31 ans et je ne m'attendais pas à tout ça. On m'a mise sous HTR et les attaques de panique ont cessé lorsqu'on a retiré la tubulure.

Je savais que quelque chose s'était passé pendant l'intervention, et je craignais que le chirurgien n'ait pas pu enlever toutes les cellules cancéreuses. J'avais raison. J'ai donc suivi un traitement de chimiothérapie à titre préventif, ainsi que 22 séances de radiothérapie. Je subissais régulièrement des examens bimanuels rectovaginaux et des analyses sanguines CA-125.

J'ai eu beaucoup de douleur après mon traitement et, en 1992, mon omnipraticien a prescrit une échographie qui a révélé une stéatose hépatique.

De plus, il estimait que les douleurs étaient en partie dues à l'intervention chirurgicale, à la radiothérapie et à des tissus cicatriciels. En février 1994, on a pratiqué une autre laparoscopie car la douleur était devenue très intense du côté droit. Cette intervention m'a libérée de la douleur, car mon intestin était bloqué – adhésions. Le diagnostic de stéatose hépatique et de multiples adhésions a également été confirmé. Mais rien ne laissait soupçonner la présence d'une autre maladie.

En 1994, j'ai également commencé à voir un psychiatre. J'avais des problèmes de stress au travail, des problèmes familiaux et je me sentais souffrante. Tout cela me déprimait beaucoup.

Mon taux de CA-125 demeurait dans la zone grise, mais il a subitement grimpé au début de juillet 1995. J'ai subi une échographie transvaginale en septembre 1995. Il y avait récidive et l'oncologue ne voulait rien faire. J'étais anéantie, en colère et en état de choc. Je n'avais jamais pensé que le cancer reviendrait. Je suis allée à l'hôpital et on a drainé une certaine quantité de liquide de mon abdomen. Cela a quelque peu soulagé la douleur.

En janvier 1996, j'ai pris l'une des plus importantes décisions de ma vie. J'ai quitté mon travail pour être en mesure de me concentrer sur ma santé. J'ai commencé à prendre du tamoxifène; je me suis intéressée à la nutrition (je suis devenue lacto-ovo-végétarienne); j'ai pris des suppléments alimentaires (vitamines, minéraux et plantes), surtout des antioxydants; j'ai fait de l'exercice; j'ai continué à voir mon psychiatre; j'ai rencontré un groupe de soutien deux fois par mois; et j'ai écouté des cassettes de relaxation deux fois par jour. Je prenais toujours des somnifères, et aussi des analgésiques lorsque la douleur devenait intolérable.

J'ai également commencé à faire du bénévolat à Wellspring et à la Cancer Connection Agency.

Je subissais régulièrement des examens bimanuels rectovaginaux, des analyses sanguines CA-125 et des tomodensitogrammes. Le cancer n'évoluait pas; c'était comme si mon abdomen et toute la cavité pelvienne avaient été tapissés de petits cailloux.

En octobre 1998, j'ai subi une première mammographie et on a dû procéder à une conisation car on avait détecté la présence de dépôts de calcium dans mon sein droit. L'oncologue m'a prescrit une mammographie du sein droit à tous les six mois. De plus, en octobre 1999, j'ai reçu un diagnostic de carcinome basocellulaire, le moins grave des cancers de la peau. On a tout simplement fait l'ablation du carcinome.

En février 2001, après mon examen semestriel, j'ai dû subir une autre conisation et une échographie du sein droit. La mammographie a révélé une opacité. De plus, un tomodensitogramme abdominal a permis de déceler les signes d'une maladie évolutive péritonéale et sous-séreuse. Un examen de l'intestin par voie chirurgicale se révélait nécessaire. De concert avec mon oncologue, j'ai décidé de reporter le traitement à plus tard.

En septembre, tous les tests ont été refaits. Nous sommes maintenant en avril et j'ai beaucoup de difficulté à accepter que le cancer se propage. J'essaie d'éviter un autre traitement de chimiothérapie et je souhaite qu'on me prescrive une immunothérapie; j'espère que cette dernière sera approuvée en 2002. Mon oncologue n'attend que cette approbation – quel soulagement ce sera.

Il suffit que je tienne le coup jusque-là.

Debbie a tenu le coup aussi longtemps qu'elle l'a pu. Elle est décédée à Toronto en 2002, et Amanda était à ses côtés. Debbie a été une véritable inspiration pour tous ceux qui l'ont connue dans le cadre de ses nombreuses activités de bénévolat et de programmes d'action contre le cancer ovarien. Elle a également représenté la *National Ovarian Cancer Association* lors de congrès internationaux.

Debbie fait honneur au tournesol, le logo de la *NOCA*. Son sourire, sa douceur et sa gentillesse avaient le don de réchauffer l'atmosphère de chaque pièce où elle entrait – tout comme un champ de tournesols éclaire et réchauffe une journée d'automne.

Le témoignage qui suit nous vient d'une femme qui souhaite garder l'anonymat. C'était une professionnelle à l'apogée de sa carrière dans l'une des plus grandes villes de l'Ouest canadien lorsqu'elle a reçu un diagnostic de cancer ovarien – encore une preuve que ce type de cancer ne connaît aucune frontière.

Le cancer

Le cancer a plusieurs visages : douleurs, vomissements, peur, maux de tête, bouffées de chaleur, gaz, constipation, sautes d'humeur, insomnie et tristesse. Une incroyable tristesse ; la tristesse, voilà l'aspect le plus difficile.

Un mot : six lettres qui ont mis mon univers sens dessus dessous. C'était l'année dernière, j'avais 37 ans et je n'ai rien vu venir. Cependant, les symptômes étaient là : ballonnements, crampes, cycles menstruels irréguliers. Bien entendu, je ne les ai pas attribués au cancer. Pourquoi l'aurais-je fait ? Je n'avais pas d'antécédents familiaux. Le cancer était quelque chose qui arrivait aux autres, et non à moi. Oui, Moi !

Un cancer des ovaires et un cancer de l'utérus, à moi – rien qu'à moi... Des échographies et des analyses sanguines CA-125 ont confirmé le diagnostic. Une hystérectomie totale et la radiothérapie ont suivi.

Cela arrive si vite qu'on a de la peine à croire que c'est vrai. Mais la réalité finit par vous frapper de plein fouet.

On dirait qu'on n'arrive jamais à s'en débarrasser. Bien sûr, il m'arrive de l'oublier. Je souris, je ris, je m'amuse. Et puis, BOUM, le revoilà. Je ne comprends pas tout à fait comment cela est possible, alors comment l'expliquer?

Je suis triste. Pour ma santé, pour la perte que j'ai subie et pour tous ces changements qui sont survenus dans ma vie. Elle ne sera plus jamais la même. Je ne pourrai jamais plus être insouciante. J'aurai toujours ce nuage qui plane au-dessus de ma tête. Maintenant, le cancer fait partie de mon histoire!

Les membres de ma famille sont tristes. Ils sont terrorisés. Ils font tout ce qu'ils peuvent mais ils ne peuvent pas me débarrasser de la maladie. Ils ne posent pas toutes les questions qui leur viennent à l'esprit car ils ont peur des réponses.

Mes amis sont tristes. Ils s'efforcent de m'aider en gestes et en paroles. J'ai besoin d'eux mais je les repousse. Je ne suis plus la même, mais cela les oblige-t-il à se comporter différemment avec moi?

Je suis triste pour toutes les femmes que j'ai rencontrées et qui vivent également avec cette maladie.

La tristesse. Le temps guérit les blessures, mais la tristesse demeure.

Un grand nombre des témoignages reproduits dans cet ouvrage décrivent la douleur et le chagrin qu'ont vécus leurs auteurs, les membres de leur famille et leurs amis. Et ce n'est, sans aucun doute, que la pointe de l'iceberg.

À juste titre, de nombreux ouvrages ont été écrits sur chacun de ces sujets. La bibliographie en propose quelques-uns.

Ceux qui vivent dans la douleur et le chagrin cherchent le soulagement, quelques moments d'optimisme et de répit.

Comme le dit le Dr Bernie Siegel: «Mais s'il faut entretenir l'optimisme, il ne faut pas pour autant tricher sur le diagnostic. On peut toujours dire la vérité sur le ton de l'espoir puisque personne n'est sûr de l'avenir. J'en suis d'ailleurs arrivé à accepter la maladie et à considérer que ma tâche principale est d'aider les malades à trouver la sérénité. Cela place les problèmes physiques dans une plus juste perspective. La santé n'est pas le seul but. Il est beaucoup plus important d'apprendre à vivre sans peur, d'être en paix avec soi-même et avec l'idée de sa mort. Alors, il peut arriver qu'on guérisse et, de toute façon, on n'est plus menacé par l'échec (inévitable quand on croit pouvoir guérir tous les maux physiques et ne jamais mourir).[29]

Le chagrin exige un travail personnel. Le fait de perdre ma sœur unique et ma mère en l'espace de seulement huit mois après avoir reçu mon diagnostic de cancer m'a fait découvrir ce type de travail bien personnel. On ne peut pas échapper au chagrin, à moins d'échapper à la réalité en se noyant dans les antidépresseurs et les somnifères. Ce travail personnel exige des efforts conscients, appliqués, mais aussi douloureux.

Pour moi, c'était une succession de pleurs dans un jardin surchargé : cris de colère, demandes de pardon, davantage de douleur (peu différente du chagrin à ce stade), peur de ce qui arrivera à mon mari après ma mort. C'est comme un orage ; on ne peut échapper à la douleur et au chagrin. Ce n'est qu'en allant jusqu'au bout de l'angoisse, des rudes bourrasques de la colère que vous pourrez, que vous pouvez, retrouver quelqu'un que vous reconnaîtrez comme étant vous-même.

Une de mes cousines m'a envoyé un ouvrage intitulé *Winter Grief, Summer Grace*, et je le tire souvent des rayons de la bibliothèque. Dès que je l'ouvre, j'y trouve des mots qui m'apaisent.

« Alors que tu traverseras toutes les saisons de ta peine profonde,
tu découvriras ce que tant d'autres ont découvert avant toi :
tu découvriras que tu as changé.
Tu ne seras plus jamais la personne que tu as déjà été.
Tu auras subi des pertes,

---

29. Bernie Siegel, *L'Amour, la médecine et les miracles*, Paris : Éditions Robert Laffont, 1989, p. 69.

mais en plus de ces pertes – et à cause de ces pertes –
tu auras fait des gains.
Tu seras toi-même, et tu seras plus que toi-même.
Certains décrivent ce processus comme une transformation.
D'autres l'appellent résurrection.
Quels que soient les mots que tu choisisses,
le résultat est le même.
Quelque chose de nouveau se sera produit.
Quelque chose d'original aura pris vie.
Quelque chose d'inespéré sera né. »[30]

30. James E. Miller, *Winter Grief, Summer Grace,* Minneapolis : Augsburg Fortress, 1995,
    p. 57.

«Nous nous habituons à l'Obscurité

lorsque la lumière nous est enlevée...

Soit l'Obscurité s'adoucit

Ou bien nos yeux

S'ajustent à cette Nuit

Et la vie reprend son cours, presque normalement.»

EMILY DICKINSON[31]

QUELQUES TEXTES ET TÉMOIGNAGES

Les anges et les déserteurs : Petit guide pour une randonnée dans la jungle du cancer

KAREN RITCHIE, M.D.

L orsque vous recevez un diagnostic de cancer, des choses étranges arrivent aux autres. Le cancer vous fera probable-ment changer, mais il fait également changer les gens de votre entourage, des gens que vous pensiez bien connaître.

Les gens adoptent soudain un comportement inattendu. Certains que vous appeliez des amis disparaissent. D'autres restent dans les parages. Et parmi ces derniers, il y en aura que vous serez heureuse de voir, et d'autres moins.

---

31. Emily Dickinson dans Jean Little, *Stars Come Out Within*, Toronto : Viking, 1990, p. vi.

Vous découvrirez qui sont vos véritables amis. Comme si c'était une bonne chose. Comme si nous voulions vraiment savoir sur qui nous pouvons compter. Une personne que vous voyiez rarement et qui n'était pas particulièrement intime peut tout à coup se révéler la plus attentionnée et la plus compréhensive.

Pour la personne atteinte, le cancer est une expérience unique, mais il y a tout de même quelques points communs dans cette jungle. Voici un petit guide qui vous présente les différentes créatures que vous pourriez rencontrer.

Les prédicateurs

Les prédicateurs veulent toujours vous donner des conseils et des informations. Ils ont la certitude de connaître ce qu'il y a de mieux pour vous, et ils ne se gênent pas pour vous le dire. Ils vous apportent des livres et des cassettes audio, des herbes et des pilules, ou ils savent où vous pouvez envoyer de l'argent – généralement beaucoup d'argent – pour obtenir un produit qui vous guérira (c'est garanti!). Mais si on y regarde de plus près, cette garantie ressemble davantage à une idée bien arrêtée.

Ils affirmeront que les végétariens n'attrapent jamais le cancer, ni ceux qui s'adonnent à la méditation, ni ceux qui ont des pensées positives. Rien de tout cela n'est vrai. Ils vous apportent du tofu et des graines germées alors que vous avez envie d'une pizza, et puis vous vous sentez coupable lorsque vous mangez cette pizza. Ils insistent pour que vous nourrissiez des pensées positives, alors que vous êtes chauve et nauséeuse, que vous avez 40° de fièvre et que votre corps a été mutilé.

Les prédicateurs sont généralement bien intentionnés et sincèrement préoccupés par votre bien-être, et il est donc difficile de les ignorer. Ils sont convaincus que ce qu'ils préconisent est justement ce qui vous permettra de guérir, à condition que vous les écoutiez. Et c'est là que le bât blesse – si cela ne fonctionne pas, ce sera de votre faute.

Les ignorants

Les ignorants font des commentaires stupides. Leurs remarques entrent généralement dans l'une de ces catégories :

• Le cancer n'est pas vraiment un problème. (Perdre ses cheveux/un organe, sa santé n'est pas vraiment un problème).

• Le cancer est une véritable bénédiction. (Vous découvrirez qui sont vos amis. Le cancer est un don de Dieu car vous êtes forte).

• Vous êtes responsable de votre cancer. (Vous rappelez-vous cette fois où vos pensées ont été négatives ? Vos prières manquent de ferveur).

Les remarques idiotes sont légion. La personne atteinte du cancer n'y échappe pas.

Si les prédicateurs sont honnêtement préoccupés par votre bien-être, les ignorants pensent d'abord à eux-mêmes. Ils veulent que vous soyez de bonne humeur car cela les met plus à l'aise (et c'est parfois le cas du personnel soignant). Ceux qui rejettent leur propre tristesse et leur douleur ne veulent pas entendre parler de ce qui vous afflige.

Les ignorants veulent croire que l'univers a un sens, qu'il est juste et équitable, que les gens ont ce qu'ils méritent. Ils font tout pour ignorer la moindre preuve du contraire. Ils ne comprennent pas vraiment votre situation ; ils sont incapables de voir votre maladie de votre point de vue. Ils ne manifestent pas suffisamment d'intérêt pour comprendre, ou ils craignent pour leur propre bien-être.

Mais leur ignorance n'est pas votre problème. Faire leur éducation prend du temps ; et c'est souvent une entreprise qui est vouée à l'échec. On ne devrait s'y atteler qu'en dernier recours, ou bien pour tromper l'ennui. Ces gens sont épuisants. Vous devrez peut-être déterminer si leur compagnie vaut la dépense d'énergie émotionnelle qu'elle entraîne, car il se peut très bien que vous finissiez par devoir vous occuper d'eux.

Les déserteurs

Les déserteurs disparaissent lorsque vous recevez un diagnostic de cancer. Le déserteur est une personne qui faisait partie de votre entourage, mais qui soudain ne vous appelle plus et ne vient plus vous voir. Le déserteur envoie *parfois* une carte de souhaits avant de disparaître.

Lorsqu'on les interroge, ils trouvent des excuses : ils savaient que vous étiez fatiguée, ils savaient que vous leur auriez fait signe si vous aviez eu besoin de quelque chose, rejetant ainsi le blâme sur vous. Comme les ignorants, ils gardent leurs distances, et c'est le reflet de leur inconfort. Ils demeurent éloignés de vous parce qu'ils ont peur de leur propre tristesse ou de leur propre condition mortelle.

Une créature apparentée est le *déserteur virtuel*. Il peut être physiquement présent mais agir comme si vous n'étiez plus là. Il vous ignore, il fait comme si vous étiez invisible. Il ne vous invite plus à aucun événement, comme si vous n'existiez plus. Vous êtes soudainement exclue d'une réunion hebdomadaire à laquelle vous participiez depuis des années.

Tout comme les ignorants, les déserteurs s'opposent à la logique et il n'y a généralement rien à faire. Acculés au pied du mur, ils blâment les autres, et il vaut peut-être mieux les oublier.

Les anges.

Les anges savent quoi faire, et ils savent ce dont vous avez besoin. Ils arrivent inopinément avec un sac de provisions ou ils proposent de faire faire une promenade à votre chien. Ils vous écoutent lorsque vous avez besoin de parler, ou bien ils peuvent s'asseoir à vos côtés, sans se sentir obligés de faire quoi que ce soit ou de prononcer un mot. Ils savent que leur seule présence est un geste en soi. Les anges sont désintéressés et ne s'imposent pas.

Ils vous traitent comme la personne que vous avez toujours été. Ils savent que vous êtes encore « vous », malgré le cancer. Les anges devinent parfois ce dont vous avez besoin, ou bien ils vous posent la question. Ils sont à l'écoute de vos réponses, de ce que vous dites ou ne dites pas. Vous pouvez pleurer avec un ange, ou vous pouvez rire avec lui, et parfois faire les deux en même temps. Certains sont des anges-nés. D'autres doivent apprendre à le devenir, ce qui prend du temps et peut être embarrassant au début.

Les compagnons de route

Pour les compagnons de route, votre combat contre le cancer est leur combat. Les membres de la famille deviennent des compagnons de route par nécessité. D'autres choisissent de le devenir.

Vous êtes atteinte du cancer, et ils le sont aussi. Et, d'une certaine manière, leur combat est plus rude que le vôtre. Ils se sentent frustrés et impuissants. Alors que vous pouvez lutter contre le cancer, ils ne peuvent qu'observer.

Les compagnons de route veulent prêter leur appui, même si au début ils ne savent pas trop comment s'y prendre. Ils peuvent devenir des anges, mais cela prendra un certain temps. La majorité d'entre nous ne savons pas bien écouter, et il nous faut du temps pour apprendre. Vous pouvez les aider en vous montrant patiente et en exprimant vos besoins. Les ignorants ont raison à propos d'une chose – le cancer a ses bons côtés. Et l'un d'entre eux est certainement cette occasion de resserrer les liens qui nous unissent à ceux qui se soucient de nous. Et, bien entendu, vous découvrez ainsi qui sont vos véritables amis.[32]

Mourir chauve
Karen Ritchie, M.D.

Pourquoi une scène présentant un acteur chauve sur son lit de mort n'arrive-t-elle pas à être belle et pathétique ? Bien sûr, porter un chapeau au lit peut être drôle, mais il y a aussi un côté pathétique à l'humour volontaire.

Croyez-vous vraiment que les membres de votre famille, et plus particulièrement vos enfants, ne garderont que ce souvenir de vous, uniquement parce que vous étiez chauve la dernière fois qu'ils vous ont vue ? Nous reconnaissons les gens – nous nous souvenons d'eux – à une multitude de signes, et ils ne sont pas tous visuels.

---

32. Karen Ritchie, M.D., *Phoenix Medical Associates*, Kerrville, Texas (**CancerScripts.org**), Copyright © 2000.

Certaines femmes préfèrent mourir telles qu'elles sont, et non en tant que la Patiente n° 573607, et leur tête lisse nuit **catégoriquement** à l'image «normale» qu'elles se font d'elles-mêmes. Et il est facile de s'attarder sur la consternation qu'engendre l'idée de mourir chauve, plutôt que sur la peur et la tristesse de la mort.

Se faire coiffer ou se faire caresser les cheveux par un être cher peut être réconfortant, mais glisser la main sur un crâne lisse ressemble davantage à un geste que poserait le propriétaire d'un chihuahua ou d'un Shar-peï (chien de combat d'origine chinoise).

La calvitie n'est pas un problème en soi, même pour celui qui est bien portant, mais personne ne semble vraiment savoir pourquoi. Peut-être que la vision d'un crâne nu est par trop bouleversante.

La perte des cheveux peut parfois faire plus de ravages que la perte d'un sein. Nos cheveux font partie intégrante de notre identité et de notre masque social. Lorsqu'ils se mettent à tomber, nous nous réveillons avec des mèches de poil dans la bouche, et faire la cuisine peut devenir un cauchemar. Certaines choisissent la solution du rasoir... mais la cruelle réalité est encore là!

Les services d'oncologie des hôpitaux offrent parfois de jolis chapeaux réversibles, et non pas seulement des turbans en polyester qui indiquent à tous que vous suivez un traitement de chimio, et qui sont des plus inconfortables à cause des bouffées de chaleur que provoque le traitement! De nombreux magasins offrent des chapeaux très abordables, et souvent très confortables.

Bien entendu, il y a un bon côté à la calvitie : ils sont désormais révolus ces jours où votre mise en plis ne tient pas! Vous économisez une petite fortune en coupes, shampoings, gels, rasoirs! Et contrairement aux hommes, les vôtres pourront même repousser!

Nous nous servons de nos cheveux pour nous affirmer. Alors osez, et faites-vous tatouer la tête. Sachez toutefois, que le processus peut être douloureux et prendre un certain temps. Le tatouage ne sera plus apparent lorsque vos cheveux auront repoussé – mais entre-temps il ne passera pas inaperçu! Les tatoueurs ont une réputation quelque peu douteuse, mais vous pouvez demander à un chirurgien plastique de vous en recommander un. James Brown, le grand chanteur, a perdu ses sourcils suite à une folie de jeunesse, et après s'en être tracés au crayon pendant des années les soirs de spectacle, il a décidé de passer à l'acte – et il n'a pu que s'en réjouir !

Et si l'aiguille vous fait reculer... il reste le henné. Pendant des milliers d'années, les gens se sont colorés la tête avec ce produit. Il existe des ouvrages remplis de motifs à reproduire, et votre enfant de 5 ans trouvera cette activité très amusante. Soyez votre propre œuf de Pâques ! Je vous assure que personne ne l'oubliera jamais !

Les vernis à ongles peuvent être un substitut en matière d'ornement corporel. C'est un art très développé, évocateur de nombreuses différentes cultures.

Vous vous demandez peut-être : mais pourquoi ne pas tout simplement porter une perruque ? Cela peut être une expérience amusante. Laissez libre cours à votre créativité en choisissant des couleurs et des styles audacieux. Changez de personnage chaque jour. Pour certaines, toutefois, une perruque ou un chapeau ne fera aucune différence – leur miroir leur rappellera chaque fois qu'elle souffre du cancer. Et cela même si les chapeaux et les perruques sont avant tout des accessoires de mode qui ne sont pas automatiquement associés à la maladie.

Et si tout cela échoue, mettez-vous une ampoule dans la bouche et troquez votre nom pour celui de Fester Addams.[33]

Comment vous pouvez m'aider
Trisha Tester

Permettez-moi de me présenter. Je suis atteinte d'un cancer du sein métastatique. Bien que cela signifie que je serai fort probablement emportée par cette maladie (à moins d'un miracle), je ne suis pas une victime. Je n'aime pas ce mot, et je préférerais que vous ne le prononciez jamais devant moi. Je suis une femme ordinaire qui s'est trouvée au mauvais endroit au mauvais moment, et qui a été frappée par le fouet du cancer. J'ai remarqué que les gens ne savent plus quoi me dire, ni quoi faire pour m'aider.

---

33. *Ibid.* (*NdT* : Personnage de la *Famille Addams*, célèbre série télévisée américaine).

La majorité des gens sont des âmes aimantes et attentionnées qui veulent réellement m'aider, mais qui n'ont aucune idée de ce dont j'ai besoin. J'ai donc pensé à dresser une liste de ces choses qui peuvent aider toutes celles qui sont dans ma situation. Rappelez-vous que cela reste un exercice subjectif. J'ai tenté de tenir compte d'autres points de vue que le mien, et je ne veux pas que vous pensiez que toutes ces choses conviennent à tout le monde. Nous sommes tous des êtres humains uniques, merveilleux et passionnants. Et donc, bien entendu, nous avons des besoins différents. Ce sera à vous de juger si mes suggestions sont appropriées, et également d'en choisir que vous pourrez réaliser sans peine.

1. Si je souhaite vous parler de ce que sera la vie après mon départ, **je vous en prie**, ne m'offrez jamais ce petit sourire factice, terrifié et encourageant en disant : « Oh, ne parle pas de ça. Tu vas guérir. » Car tout porte à croire que je ne guérirai **pas**, et cela me réconforte de penser que vous parlerez de moi à vos enfants (**et à mes enfants**), et que vous me porterez toujours dans votre cœur. Il est incroyablement réconfortant de vous entendre dire que mes enfants, qui sont trop jeunes pour perdre leur mère, auront une place dans votre vie, une place plus grande que maintenant alors que je suis toujours là.

2. Ce n'est pas en reconnaissant que ma mort est probable ou imminente que vous arriverez à me déprimer. Je n'en suis que trop consciente. En fait, si vous prenez cet air de fausse gaieté, vous ne faites que me dire que vous n'êtes pas en mesure d'être « là » pour répondre à *mes* besoins. Si c'est la cas (et je ne vous en voudrai pas pour cela), n'essayez même pas de faire semblant. Serrez-moi brièvement dans vos bras (je ne suis pas contagieuse), dites-moi que vous m'aimez, et déguerpissez. Je n'ai pas de temps à perdre avec des gens qui ne sont que des amis des beaux jours.

Ne me faites pas l'offre classique : « S'il y a quoi que ce soit que je puisse faire pour toi, n'hésite pas à m'appeler. » Nous sommes pour la plupart des femmes fortes et pleines de ressources, qui avons depuis des dizaines d'années l'habitude de nous occuper de nous-mêmes (et aussi des autres). Il est très désagréable de se retrouver en position de dépendance. Je vous suggère plutôt de me faire une visite impromptue, et de vous rendre utile en donnant un coup de balai dans la maison.

Demandez-moi si j'ai prévu quelque chose pour souper, et préparez-moi un bon petit repas. Je ne vous demanderai jamais de faire ce genre de choses. Je n'ai pas l'habitude de demander de l'aide. Je ne suis pas douée pour ça. Je le ferai uniquement si c'est urgent et que je n'ai pas le choix. Mais s'il s'agit de menues corvées que j'ai laissé s'accumuler, je ne vous demanderai probablement pas de m'aider, même si je me sens débordée. Par contre, je vous serai éternellement reconnaissante si vous passez à l'action de votre propre chef. Et je vous prie alors d'ignorer mes protestations. Faites preuve d'autorité. (Mais n'abusez pas de votre pouvoir)!

3. Parlez souvent du bon vieux temps. Beaucoup de mes amis ont été surpris lorsque je leur ai proposé ce sujet de conversation. Ils se disent : «*Mais tante Nellie pensera que je pense qu'elle est sur le point de mourir si je commence à lui parler du bon vieux temps.*» ALLÔ! Elle EST sur le point de mourir. Je suis sur le point de mourir (même si j'espère connaître de longues périodes de bien-être avant que cela se produise). Et j'*adore* évoquer de vieux souvenirs. Cela m'aide à me rappeler des moments merveilleux qui, autrement, ne me seraient peut-être jamais revenus à l'esprit. Cela me fait sourire. Cela m'aide à me rappeler que ma vie a été *belle*, même si elle sera plus courte que prévu. Cela me procure une sensation de plénitude.

4. (Conséquence nécessaire et évidente du n° 3) : Prenez le temps de classer vos photos et de créer des albums. Je ne connais aucune personne vivante (ou alors peut-être une seule) qui ait placé sa propre photo en première page. Mettez tout le reste de côté, et consacrez-y tout le temps nécessaire. Collez les photos dans des albums, rédigez des légendes et des anecdotes. Si vous avez un caméscope, installez-le, appuyez sur la touche d'enregistrement et oubliez-le. Si vous avez un magnétophone, faites de même. Ce sera un bel héritage à laisser à ceux que vous aimez, et les générations à venir vous en seront reconnaissantes. Si seulement j'avais proposé tout cela à ma mère...

5. Ne vous sentez jamais coupable d'aimer la vie. Si vous vous amusez, et que tout à coup vous pensez à moi, ne vous sentez pas mal à l'aise, pas même une microseconde. La vie est courte. Elle est courte pour tout le monde, que nous vivions jusqu'à 10 ou 105 ans. Savourez-en chaque instant. C'est ce que je ferais à votre place. Sapristi! C'est ce que j'ai choisi de faire. Voici mon *cliché du jour*[34] favori : La vie est comme une pochette remplie de pièces de monnaie que l'on peut dépenser à notre guise, mais une fois seulement. (Dépensez-les sagement, mes amis).

6. N'ayez pas peur d'avoir peur. Si vous n'êtes qu'à demi-paralysé par la peur (et croyez-moi, je suis passée par là – tout comme les membres de ma famille!), il n'y a rien de mal à me dire que la pensée de ma mort vous effraie. Elle m'effraie aussi. Cette peur sera moins lourde à porter si vous la partagez. La nier, c'est se mentir à soi-même. J'ai besoin de vérité. Je n'ai nullement besoin de mensonges. Étonnamment, une fois que cette peur est partagée, nous pouvons la reléguer en arrière-plan et aller de l'avant. Si nous ne le faisons pas, elle se dressera sur notre route au moindre tournant.

7. Il est fort probable que mes factures se trouvent pêle-mêle dans une boîte quelque part. Le cancer coûte affreusement cher. Les frais sont époustouflants. Les compagnies d'assurance (celles que je connais) sont dirigées par des abrutis incompétents et potentiellement malhonnêtes qui bousillent tout la plupart du temps. Je ne sais pas s'ils sont réellement et à ce point incompétents, ou si on les encourage dans ce sens, en espérant que, dans votre confusion, vous payiez certaines des choses qu'ils auront «oublié» de payer. Quoi qu'il en soit, je vous serais extrêmement reconnaissante si vous arriviez un jour, sans jugement préconçu à propos de mon manque d'organisation, et si vous m'aidiez à mettre de l'ordre dans tout ça. Et aussi si vous faisiez quelques appels téléphoniques. Et si vous rédigiez quelques lettres. Vous n'avez pas idée de la différence que cela ferait pour moi.

---

34. En français dans le texte.

182

8. Exprimez souvent votre amour. Tout dépendant de votre person- nalité, vous pourriez dire : «Tu es la personne la plus amusante que j'ai jamais rencontrée», ou «Dans toute l'histoire de l'huma- nité, il n'y aura plus jamais personne d'aussi _____ que toi», ou tout simplement «Je t'aime». C'est une chance à saisir. Ne la ratez pas. Car il vient un moment où ce n'est plus possible de revenir en arrière.

9. Soyez très conservateur dans vos choix de parfums/eaux de toilette. La chimiothérapie exacerbe parfois le sens olfactif. Les parfums peuvent aisément donner la nausée. Par exemple, je suis incapable de demeurer assise à côté de ma fille lorsqu'elle mange un sandwich *froid*. (Je ne supporte pas non plus l'odeur d'un sandwich aux œufs ou à la salade de thon). Aussi, faites très attention si vous êtes fumeur. (À moins que la patiente fume elle aussi – mais ce n'est pas mon cas). Si vous devez absolument fumer, je vous en prie, allez dehors, même si la personne malade vous dit que cela ne la dérange pas. Et restez dehors de 5 à 10 minutes pour vous aérer. Vous n'avez pas idée de l'odeur exé- crable qui vous colle à la peau et qui imprègne vos vêtements.

10. Faites des plans, et non des offres. Au lieu de vous enquérir si cela me plairait de déjeuner avec vous un de ces jours, demandez-moi plutôt si je suis libre mardi prochain. Et puis dites-moi : «Fan- tastique! Je viendrai te chercher à 11 heures et nous irons au restaurant. Et puis nous pourrons faire un peu de lèche-vitrine si tu es en forme.» Bien entendu, il vous faudra faire preuve de souplesse, au cas où ce mardi serait l'un de ces jours où j'ai l'impression d'avoir été renversée par un camion *Peterbilt*...

11. Lorsque vous me demandez comment je vais, veuillez vous rappeler que je suis bien plus que ma maladie. Je sais que les gens posent cette question parce qu'ils se préoccupent de moi, mais je suis parfois un peu fatiguée de parler de la progression et du recul de la maladie, des nouveaux traitements, des symptômes, etc. Rappelez-vous que nous avions d'autres sujets de conversation *avant* que le cancer ne me frappe. Et ces choses sont encore importantes pour moi.

12. Sachez qu'avoir «l'air en forme» **n'a rien à voir**. Mais ne vous en faites pas, j'emploie moi-même cette expression – je dis à mes amis qu'ils ont l'air en forme comme si cela signifiait que la maladie est sous contrôle... Tu parles! Souvent, ce n'est pas avant le tout dernier stade que le cancer en lui-même entraîne un sentiment de détresse. Ce n'est généralement pas douloureux. Habituellement, on ne le sent pas du tout (et c'est pourquoi il passe souvent très longtemps inaperçu). Les traitements, par contre, peuvent parfois nous donner **envie** de mourir. Même si leur but est de vous sauver la vie, ou de la prolonger. Cela ne veut pas dire que je veux que vous cessiez de me dire que j'ai l'air en forme. Je veux seulement que vous compreniez que ça n'a vraiment aucune importance.

13. Accompagnez-moi à mes rendez-vous chez le médecin! Il arrive parfois que mon pauvre «cerveau embrumé par la chimio» n'enregistre pas toute l'information. Il est très agréable d'avoir de la compagnie dans les diverses salles d'attente (peut-être qu'un jour les médecins deviendront ponctuels... non, oubliez ça – ça n'arrivera jamais). Et c'est aussi agréable d'avoir quelqu'un à qui parler pendant une perfusion. Préparer une liste de questions est aussi une bonne idée. Ou encore, un magnétophone peut être utile. Et si le médecin est pressé ou bourru, faites preuve de fermeté et affirmez-vous. Aidez-moi à ne pas oublier que même si je ne suis qu'un dossier parmi de nombreux autres dans l'horaire surchargé du médecin, je suis quand même la protectrice la plus compétente de **ma vie**. J'ai droit à tout le temps dont j'ai besoin auprès de mon médecin. Il (dans mon cas, elle) *me* fait déjà attendre suffisamment longtemps!

14. (Conséquence nécessaire et évidente du n° 13.) Si l'avis du médecin, ou ses manières, ne me plaisent pas, rappelez-moi qu'il n'est pas le seul médecin qualifié, et que je mérite une deuxième (ou troisième...) opinion. Le traitement du cancer, et plus particulièrement du cancer métastatique, est loin d'être parfaitement au point. Ça tient tellement de l'«art» et du jugement du médecin que je ne devrais jamais être contrainte d'accepter un traitement que je juge inapproprié.

15. (Corollaire au n° 14, qui est un corollaire au n° 13.) Respectez mes décisions. J'arriverai peut-être à une étape de ce voyage (bien que je ne voies pas laquelle – mais c'est parce que je me sens plutôt bien actuellement) où j'aurai envie de m'étendre au bord de la route et de cesser de lutter. Si jamais je prends cette décision, je sais que vous serez déçu et consterné. Peut-être même furieux. N'oubliez pas qu'il s'agit de mon combat, et de ma décision. Je sais que vous m'aimez. Je sais que vous voulez que je lutte. Mais si ce jour arrive, je vous en prie, sachez que c'est parce que je serai vidée de toute énergie. Je vous promets que je ne prendrai jamais une telle décision à la légère.

16. Si je suis chauve une fois de plus à cause de la chimiothérapie, osez! Rasez-vous la tête! Vous serez étonné de constater à quel point il est rafraîchissant de se passer la tête sous le robinet par une chaude journée d'été... Ne vous en faites pas. Je ne serai pas le moins du monde étonnée si vous décidez d'«ignorer» ma suggestion. Et je peux vous dire en toute honnêteté que je ne le ferais probablement pas à votre place!

J'espère que ces suggestions vous aideront à comprendre ce qui est *véritablement* utile lorsque vous avez un ami ou un être cher qui lutte contre une maladie mortelle. Que Dieu vous bénisse et sème des miracles tout autour de vous!

Le cancer frappe sans discernement
Sharon Halpern

Cela a été un choc énorme pour moi lorsque j'ai reçu un diagnostic de cancer ovarien! Je pensais prendre bien soin de moi, du moins comparativement à la majorité des gens que je connais. Je mange bien, je prends des vitamines, je fais un peu d'exercice, je me détends, et je subis des examens médicaux régulièrement. De fait, trois mois avant de recevoir ce diagnostic de stade IIIc, j'avais subi un examen médical complet, un test Pap, des analyses sanguines, etc. Et un mois avant, j'étais retournée voir mon médecin pour une migraine persistante. On m'a fait une radiographie qui a révélé un début d'ostéoporose, et mon médecin m'a prescrit des médicaments. Il n'y a aucun antécédent de cancer du sein ou des ovaires dans ma famille, et j'avais subi une hystérectomie six ans plus tôt. Comme je l'ai dit, j'étais en état de choc! Comment cela était-il possible? Cela ne pouvait tout simplement pas m'arriver, pas à moi. Mais c'était pourtant le cas. En passant, je suis également une très gentille personne. Mais cela ne m'a aidé en rien.

Un mal de dos est le premier symptôme dont je me rappelle, mais, rétrospectivement, je me rends compte que je me sentais aussi fatiguée. Toutefois, c'était vers la fin du trimestre d'hiver (je suis professeure au collège) et la fatigue est souvent symptomatique de la fièvre du printemps. De toute manière, mon médecin m'avait dit que j'étais en parfaite santé, mis à part un peu d'arthrite; et j'avais toujours cru ce que me disait mon médecin. Je ne crois pas que cela soit dû à un manque d'intelligence de ma part; je faisais trop confiance au système, c'est tout. Je ne veux pas paraître cynique ou amère.

De fait, mes médecins actuels sont très compatissants et m'apportent un grand soutien. J'espère seulement que d'autres pourront tirer un enseignement de mon expérience. Si votre corps vous dit que quelque chose ne va pas, prêtez-lui toute l'attention qu'il mérite. N'en faites pas une obsession, mais insistez pour en avoir le cœur net, ou même pour obtenir une deuxième opinion.

L'été venait de commencer lorsque je me suis forcée à retourner voir mon médecin. J'utilise le mot «forcée» parce que, en dépit de symptômes persistants, je ne cessais de me dire que tout allait bien. J'avais discuté de mes douleurs avec des membres de ma famille et des amis, et nous en étions venus à la conclusion que je souffrais d'une indisposition mineure, peut-être du syndrome du côlon irritable.

Évidemment, aucun d'entre nous ne connaissait les symptômes du cancer des ovaires. Bref, j'ai pensé qu'il fallait vérifier tout ça avant que mon fiancé, aujourd'hui mon mari (nous nous sommes mariés entre mes troisième et quatrième traitements de chimio) et moi ne partions pour les vacances d'été.

Mon médecin était lui-même en vacances, et j'ai donc été examinée par sa remplaçante – qui est devenue mon médecin attitré. Elle m'a prescrit deux échographies, pelvienne et abdominale. J'ai dû attendre trois semaines avant de subir ces examens. Quelques jours plus tard, j'ai été examinée par un gynécologue oncologue, et encore deux jours plus tard, j'ai subi une réduction tumorale. Le mot « réduction » pourrait-il être plus descriptif ? Réduction ! On se sent effectivement « réduite ». Et inutile de vous dire que mes vacances sont tombées à l'eau.

Le matin qui a suivi l'intervention chirurgicale, mon oncologue m'a annoncé l'inconcevable, en présence de ma famille. Il a énoncé les faits, m'a demandé si j'avais des questions, et a dit qu'il s'occuperait de moi. Il s'est montré très rassurant, et je l'ai cru. Bien entendu, j'avais besoin de le croire. J'ai reçu mon premier traitement de chimio cinq jours après l'intervention chirurgicale, et j'ai obtenu mon congé de l'hôpital quelques jours plus tard. J'ai beaucoup de chance car je bénéficie d'un incroyable soutien. Les membres de ma famille et mes amis prennent continuellement soin de moi et me réconfortent.

J'ai essayé d'être brave pour eux et pour moi-même, mais je me sentais misérable. Je ressentais tous les effets secondaires du traitement au énième degré et la douleur ne cessait d'empirer. Tout le monde disait que cette douleur était un « signe de guérison » et qu'elle était normale, mais je savais que quelque chose ne tournait pas rond. Quelques semaines plus tard, je me suis de nouveau retrouvée sur la table d'opération pour l'ablation d'un abcès intra-abdominal. La leçon demeure la même : « Soyez à l'écoute de votre corps. »

J'ai passé les mois suivants en convalescence, obsédée par les infections, mais sans réellement penser beaucoup au cancer. Lorsque j'ai commencé à me sentir mieux, j'ai entendu l'appel de mon ordinateur. Un autre choc m'attendait. Mes recherches m'ont appris que la situation était beaucoup plus sombre que je ne l'imaginais. Je ne m'étendrai pas ici sur les statistiques, mais je me contenterai de vous dire que j'ai ainsi appris plus de choses que je ne l'aurais souhaité.

Parfois, le bonheur repose véritablement sur l'ignorance. Ce que je venais de découvrir m'a fait paniquer. Je me suis sentie malade, effrayée, trahie et j'ai été submergée par un chagrin énorme. J'ai pleuré sans pouvoir m'arrêter, et je ne voulais plus quitter mon lit.

Cela a duré environ une semaine, jusqu'à ce qu'une petite voix intérieure me dise de me lever et de continuer. J'ai obéi à contrecœur, mais j'ai réussi à passer à l'étape suivante.

J'ai concentré toute mon énergie à survivre et à améliorer ma qualité de vie. J'ai lu des livres, j'ai consulté un nutritionniste et un psychologue, je me suis jointe à un groupe d'entraide, et j'ai commencé à faire du yoga, du tai-chi et à pratiquer des techniques holistiques de guérison de l'esprit et du corps. En gros, j'en ai appris le plus possible sur la survie, et j'ai tenté de déterminer ce qui pourrait m'aider. J'ai reçu mon dernier traitement de chimiothérapie il y a quatre mois et je vais bien.

Je m'efforce d'adopter une approche holistique et saine de la vie, et de ne pas m'en vouloir lorsque je m'en écarte un peu. Bien entendu, il m'arrive encore d'être effrayée, de pleurer et de me poser inlassablement cette question : « *Pourquoi moi ?* » Je peux également poser cette question en pensant à toutes ces femmes braves et merveilleuses dont j'ai fait la connaissance pendant cette aventure. « *Pourquoi nous ?* » Mais elle demeure pour l'instant sans réponse.

«Laissez-vous emporter silencieusement

par le flot de ce que vous aimez véritablement.»

RUMI

LE TRAVAIL SPIRITUEL

Rebecca McGowan, la fille d'une «mère incroyable», vit à Mount Hope, dans le sud de l'Ontario. «Ayant entendu parler de ce merveilleux projet de livre il y a quelques jours à peine, je me suis acharnée à trouver les mots justes pour décrire mon expérience et vous parler de mon incroyable mère qui lutte contre un cancer des ovaires au stade III depuis maintenant trois ans...»

La beauté mérite d'être soulignée.

Sa lumière perpétuelle me stupéfie. Sa force me motive. Elle est un phare, une étoile qui scintille dans l'obscurité de ma nuit. Elle est séduisante comme la délicate marguerite qui danse dans les herbes fraîches. Elle irradie, éblouissante.

Elle embrasse l'incertitude et reconnaît ainsi que sa joie est en fait l'expression de son chagrin non déguisé. La vie et la mort – dans un seul souffle. Un paradigme paradoxal. Il rampe furtivement dans les bruissements de la nuit et, pendant qu'elle dort paisiblement, il se referme sur son intégralité.

Voleur de temps. Ravisseur de moments précieux qui pourraient être vécus et partagés. Mais surtout, voleur de vie. Le cancer des ovaires. Trois longues années.

Isolement, avilissement, des rêves peuplés de cris silencieux. Médi-
tation, révélation, des pensées lumineuses qui jaillissent. Les sombres
profondeurs de l'obscurité doivent être vaincues avant l'aube glorieuse.
Constamment, elle lutte, résiste, affronte, persévère, subit, surpasse et
triomphe. Son aube est effectivement glorieuse.

Ma mère, mon héroïne, ma confidente, ma consolation, mon amie,
mon inspiration.

Lord Byron, né George Noel Gordon, a exprimé un sentiment
similaire en 1815.[35]

> Elle est belle, comme la nuit
> Limpide et étoilée ;
> Et tout le sublime de l'obscurité et de la lumière
> Se reflète sur son visage et dans ses yeux :
> Et puis se fond en cette tendre lueur
> Que refuse le ciel au jour le plus éclatant.

Pendant deux mois, j'ai passé un peu de temps chaque jour avec
une femme qui se mourait du cancer des ovaires. Elle avait
constamment les yeux rivés sur l'horloge – c'était devenu une obsession. Si une personne ou une potence à intraveineuse lui en cachait la
vue, elle se mettait en colère. Son lit devait toujours être placé de
manière à ce qu'elle puisse voir l'aiguille des secondes égrener le
temps. Je me rappelle ces mots que j'ai lus dans *How, Then, Shall We
Live?* : « C'est ainsi qu'est la vie que cerne la mort. En ayant la mort
comme compagnon, chaque moment de la vie devient instantanément plus captivant. »[36]

Bien que ses amis lui aient apporté quantité de livres et de
magazines, elle a pratiquement usé les pages d'un petit ouvrage de
citations bouddhistes. Elle avait songé à se convertir au judaïsme –
brièvement – mais elle a trouvé le réconfort qu'elle cherchait

---

35. John Bartlett, *Bartlett's Familiar Quotations*, 16e édition, Toronto : Little, Brown Co.,
    1992, p. 401.
36. Wayne Muller, *How, Then, Shall We Live?* Toronto : Bantam Books, 1996, p. 148.

pendant les derniers jours – ou plutôt les dernières heures – dans les prières bouddhistes. Mon amie, ma sœur survivante, est décédée la tête tournée vers l'horloge.

Cyndee Deplastino, âgée de la mi-quarantaine, et qui vit à Monroeville en Pennsylvanie, dit qu'après avoir reçu son diagnostic, elle a investi beaucoup d'énergie dans sa guérison et a fait les choses qu'elle avait toujours voulu faire mais qu'elle n'avait jamais pris le temps de faire. Elle a mangé des sushis et elle a nagé dans les Florida Keys avec des dauphins. Et 27 ans après avoir abandonné ses études, elle a obtenu un baccalauréat en psychologie et un certificat en counselling. Elle travaille maintenant avec un groupe d'entraide local qui offre ses services aux femmes atteintes du cancer des ovaires. Cyndee a intitulé son texte : *Autoroute vers le paradis*:

Peu de temps après mon deuxième traitement de chimiothérapie, j'ai vécu toutes les horreurs de la chimio et je n'étais pas bien dans ma peau. Un jour, alors que je me maquillais, je me suis regardée dans le miroir et j'ai pensé : «OH, MON DIEU ! J'ai l'air d'un travelo !»

Je me suis mise à pleurer (ou plutôt à sangloter), et cette petite voix intérieure qui était de mauvaise humeur ce jour-là s'en est prise à moi : «*Regarde-toi, tu es chauve, tu n'as plus de sourcils, plus de cils. Tu es grassouillette. Tu as une cicatrice sur la poitrine, une longue balafre qui s'étend du milieu de tes côtes jusqu'à l'extrémité de ton torse.*»

Ma fille m'a entendue pleurer et est entrée dans ma chambre. Je me suis confiée à elle et puis j'ai ajouté : «*Quel homme voudrait de moi ?*» *Elle m'a tendrement entourée de ses bras en disant :* «*Maman, cesse de ne voir que la laideur de cette cicatrice. Considère-la plutôt comme ton autoroute vers le paradis.*»

Bouleversées, nous avons toutes les deux pouffé de rire ! J'ai été de bonne humeur tout le reste de la journée !

La prière est souvent ce qui nous aide à espérer et à faire face spirituellement à un diagnostic de cancer ovarien, à la douleur et à la vie qui continue. Nous prions pour guérir, nous prions pour que la douleur disparaisse, nous prions pour avoir la force de lutter. Nos prières sont noyées dans nos larmes. Nos prières sont noyées dans la peur. David, le principal auteur des *Psaumes*, décrit le réconfort que Dieu apporte : « Il te couvre de ses ailes, tu as sous son pennage un abri. Armure et bouclier, sa vérité. Tu ne craindras ni les terreurs de la nuit, ni la flèche qui vole de jour. »[37]

La peur est également invoquée avec ferveur dans ces lignes : « Toi, Yahvé, tu ne fermes pas pour moi tes tendresses !... Car les malheurs m'assiègent à ne pouvoir les dénombrer... ils foisonnent plus que les cheveux de ma tête et le cœur me manque. »[38]

Beppie McGowan, la mère de Rebecca qui vit à Mount Hope, en Ontario, nous a envoyé ceci :

Je ne peux vous décrire les hauts et les bas que ma famille, mes amis et moi avons connus. Perdre tous ses cheveux et le moindre petit poil sur son corps, se sentir constamment souffrante – toujours nauséeuse et fatiguée, à remettre en question sa foi, à avoir peur jusqu'à ce qu'on retrouve encore une fois la paix intérieure – tout ça ne représente qu'une infime partie de ce que je dois affronter.

À toutes mes sœurs atteintes du cancer des ovaires :

J'ai prié pour vous aujourd'hui
Et je sais que Dieu m'a entendue –
J'ai senti sa réponse dans mon cœur
Même s'Il n'a pas prononcé un seul mot.
J'ai demandé qu'Il vous apporte le bonheur
En toutes choses, les grandes comme les petites,
Mais c'est pour qu'Il nous enveloppe de Son amour compatissant
Que j'ai prié avec le plus de ferveur.

Tom Harpur, un prêtre anglican canadien, éditeur et écrivain passionné, a écrit *Prayer : The Hidden Fire*, un ouvrage consacré à la prière. Il nous explique pourquoi nous prions, ce que sont les prières,

---

37. (Les Psaumes 91,4-5), *La Bible de Jérusalem*.
38. (Les Psaumes 40,12-13), *La Bible de Jérusalem*.

où elles vont. Nous prions seul, nous prions en petits groupes, nous prions avec les autres à l'église ou à la synagogue. Au tout début de son livre, Tom Harpur écrit : «... depuis la nuit des temps, l'être humain a toujours prié; la prière fait partie intégrante, elle est au centre, de sa relation avec le Mystère qui entoure toute chose. »[39]

Un écrivain américain, le rabbin Harold Kushner écrit dans *To Life!*: «La prière d'une personne malade est "exaucée" non pas par la guérison, mais par le sentiment de la proximité de Dieu, l'assurance que sa maladie n'est pas une punition de Dieu et que Dieu ne l'a pas abandonnée. »[40]

La solitude d'une nuit passée à l'unité de cancérologie peut refléter la solitude d'une âme. Les veilleuses sont allumées, vous voyez ou vous entendez une infirmière qui vérifie les signes vitaux de ses patients, parfois vous entendez un «bip» indiquant qu'un sac pour perfusion intraveineuse doit être remplacé, ou bien vous entendez votre propre goutte-à-goutte.

Au début de votre carrière dans le monde du cancer, vous aviez tendance à surveiller le sac de perfusion, de crainte qu'il ne se vide – et puis vous appeliez l'infirmière d'une voix inquiète. Ou bien vous l'appeliez parce que vous aviez besoin d'aller aux toilettes. Mais personne ne vous entendait. Et vous faisiez pipi au lit, en pleurant. Et vous avez bientôt réalisé que la sonde de Foley est une amie, et non une ennemie. Parfois, vous entendez les pleurs d'une femme qui sort tout juste du bloc opératoire. Vous pouvez sentir sa douleur. Vous êtes passée par là, et peut-être plus d'une fois.

Et puis vous pleurez, contemplant la pluie qui s'écrase sur une fenêtre poussiéreuse, et les gouttelettes qui se fraient un chemin en ondulant jusqu'au bas du carreau. Et c'est à ce moment-là que vous vous mettez à prier pour que tout ça prenne fin.

L'Australienne Doris Brett comprend. Psychologue clinicienne, elle est aussi une écrivaine accomplie. Ses livres ont été publiés aux États-Unis, en Allemagne, en Autriche, en Suisse et en Russie, tout

---

39. Tom Harpur, *Prayer : The Hidden Fire* , Kelowna, C.-B. : Northstone Publishing, 1998, p. 27.
40. Harold Kushner, *To Life!* New York : Warner Books, Inc., 1993, p. 209.

comme en Australie. Son ouvrage intitulé *In the Constellation of the Crab* a remporté trois prix de poésie. Dans la première partie du livre, elle nous raconte son expérience du cancer des ovaires. C'est quelque chose que l'on n'oublie jamais, n'est-ce pas? Doris vit à Melbourne avec son mari, sa fille et un gros chien noir. Elle a aimablement accepté que nous reproduisions ici deux poèmes tirés de *In the Constellation of the Crab*.

Goutte-à-goutte

L'homme svelte est toujours à mes côtés.
Il était là à mon réveil,
Me tenant le poignet comme
Un visiteur qui se respecte.

Il me nourrit,
Nutriment, eau, morphine.
Une goutte à la fois, la plus
Dévouée des mères.

Il fait aussi de la magie,
Grâce à lui les fleurs
Ont commencé à battre comme des cœurs
Dans leurs paniers.

Et lorsque les infirmières entrent,
Je leur adresse un sourire diaphane.
Il est profondément attaché à moi.
C'est l'évidence même.

Il me suivrait n'importe où,
même jusqu'à Fairbanks, en Alaska.
Je suis sa vie, il n'existe
Que pour me servir. Il le dit.

Encore et encore
Comme le loup parle
À la lune qui se lève.

Parfois la nuit j'imagine
Que si je reste couchée, immobile
Il me nourrira éternellement.[41]

Utérus

Au début, ils ont pensé que c'était toi,
vieux vagabond connu des anciens,
siège des émotions,
semant l'hystérie chez les femmes
tout au long de ton épopée chaotique,
se heurtant à tout dans la pièce,
cherchant qui? Cherchais-tu
ces roses ovariennes
qui fleurissent chaque mois,
voulais-tu les cueillir et les poser
dans ton panier rouge, était-ce la lune... ?

Je ne sais pas comment
te dire adieu
petite mère, réservoir errant
de l'âme. Mais je me rappelle
que tu as pris soin de ma fille
et que, lorsque l'heure a sonné,
tu l'as poussée dans le monde.
Cette heure sonne pour tout le monde.
Il y a une mort dans chaque naissance.[42]

Jean Randall[43] vit dans le nord de la Saskatchewan avec son mari, Tim. Ils ont un fils de 18 ans, un étudiant de première année à l'université. En 2001, alors qu'elle n'avait que 41 ans, elle a reçu

---

41. Doris Brett, *In the Constellation of the Crab* ,Sydney, Australie : Hale & Ironmonger Pty Ltd., 1996, p. 13.
42. *Ibid.*, p. 19.
43. Ce nom est un pseudonyme.

un diagnostic de cancer des ovaires de stade III, grade 3. Son oncologue lui avait dit que les chances qu'elle soit toujours vivante dans cinq ans n'étaient que de 10 %. Elle est toujours vivante.

Elle a subi une laparotomie de second regard qui a confirmé une récidive. Elle a suivi traitement de chimio après traitement de chimio. Mais elle nous écrit pour nous dire qu'elle vit pleinement et apprécie chaque jour qui passe. Voici la liste des meilleures choses que Jean a découvertes en vivant avec le cancer et en se préparant à une mort peut-être imminente.

Un groupe de discussion en ligne consacré au cancer des ovaires : *Je ne l'ai découvert que plusieurs mois après le diagnostic; cela a été une précieuse ressource pour moi et m'a apporté un grand soutien psychologique.*

Des amis paroissiens : *La plupart savent comment parler avec moi et m'écouter. Ils n'ont pas peur de prononcer le mot « cancer ». La religion semble fournir un canevas qui nous guide et nous aide à faire face à la vie comme à la mort. Ces amis m'ont envoyé des montagnes de cartes de souhaits – et même des gens que je ne connais pas ont dit prier pour moi. Les gens nous apportent des repas. Ils sont compatissants – et leur compassion n'a pas de prix.*

L'imagerie mentale dirigée : *J'écoute et je réécoute des cassettes audio qui traitent de la douleur, de la chimiothérapie et du cancer. Elles m'ont été d'un grand secours – surtout au début lorsque j'avais très mal, physiquement et psychologiquement.*

Un programme intitulé « Vivre avec le cancer » offert par mon hôpital : *Chaque fois que j'en avais la force, je participais à des séances de tai-chi, de yoga, de méditation et de relaxation, de thérapie par l'art, de musicothérapie, d'intériorisation et d'écriture axée sur la guérison. Les liens que j'ai noués avec les autres patients m'ont aidée à me sentir normale dans ma nouvelle vie avec le cancer. Il est vraiment merveilleux de se retrouver dans une pièce avec des gens qui **savent** ce que je **sais** maintenant, et qui « vivent » là où je vis.*

La musique : *J'ai participé à un essai clinique et j'aurais perdu le sens de l'ouïe si j'avais continué le traitement. Je me suis donc retirée, ne pouvant envisager la solitude d'une vie marquée par des problèmes de communication avec mes proches et mes amis. J'ai tout à coup apprécié à sa juste valeur la faculté d'entendre, en dépit de l'acouphène provoqué par la chimiothérapie, et j'ai commencé à écouter davantage de musique. La musique peut avoir une grande influence sur l'humeur, et peut-être aussi sur la santé.*

Une émission d'après-midi plutôt loufoque sur la décoration intérieure : *Cela a été pour moi une façon de m'amuser, lorsque j'étais trop malade pour faire autre chose que regarder la télévision. Après des mois et des mois passés à la maison à contempler les mêmes murs, cette émission de décoration m'a permis de dresser de nombreux plans de réaménagement. C'était tellement divertissant – et j'ai dîné en compagnie de l'animateur à de nombreuses reprises !*

Mon mari a eu beaucoup de difficulté à accepter ce diagnostic de cancer. Il m'a accompagnée à plusieurs de mes rendez-vous chez le médecin, mais il n'aime pas parler des détails d'ordre médical – et certainement pas de la mort.

Il déteste les effets débilitants de la chirurgie... J'ai appris à discuter « cancer » avec les autres et j'essaie de passer de bons moments avec mon mari. J'ai besoin qu'il soit optimiste, et non pas déprimé, à propos de mon dernier test sanguin CA-125. Cette approche donne de bons résultats depuis que j'ai trouvé d'autres avenues de soutien.

J'ai été très en colère lorsque j'ai appris que le cancer s'était propagé – je voulais que quelqu'un fasse quelque chose. Mais je me suis rendu compte que j'avais davantage de contrôle sur ma réaction que les autres et que ma colère risquait plutôt de faire fuir ceux dont j'avais besoin. J'ai donc appris à laisser mon mari et les autres être eux-mêmes et m'aider du mieux qu'ils peuvent.

Mon mari et moi sommes plus proches que jamais. Nous jouons maintenant une partie de cartes chaque soir – c'est son idée. Nous avons commencé avec le rami et sommes graduellement passés à la canasta. Cela peut sembler banal, je le sais, mais nous rions, nous nous traitons de tous les noms, faisons tout pour gagner et nous nous amusons beaucoup.

Il adore le fait que je sois toujours à la maison – comme beaucoup d'autres, j'ai dû quitter mon emploi – et il adore trouver un repas convenable sur la table en rentrant du travail. Les risques d'infections et un système immunitaire plutôt fragile m'ont amenée à surveiller de près mon alimentation. Je consacre donc le peu d'énergie que j'ai à préparer des repas nourrissants.

Le cancer m'a beaucoup appris et m'a fait grandir intérieurement. Je sais maintenant que les relations interpersonnelles sont primordiales. Je ne sais pas ce que me réserve l'avenir et, à cet égard, je suis comme tout le monde.

J'ai l'intention de m'atteler à ma vie spirituelle, qui a grandement besoin d'être ressuscitée. Je tenais ma religion et ma foi, pour acquises. Mais plus maintenant, je ne le peux plus. Je remercie Dieu de m'accorder cette journée, de me permettre d'être ici maintenant et de jouir du moment présent. Après tout, c'est la seule chose que nous possédons vraiment.

Lon Nungusser écrit dans son livre intitulé *Notes on Living until We Say Goodbye* : «La pire dénégation n'est pas de nier la mort, mais de nier la vie».[44] Après avoir été reconnu séropositif pour le VIH, Lon Nungusser a constaté qu'un grand nombre de ses amis se sont mis à l'ignorer, comme s'il avait déjà un pied dans la tombe et l'autre sur une pelure de banane. Il a découvert un nouveau sens à sa vie, en dressant une liste des façons de l'honorer tout en dérivant vers la mort. Il conseille d'acheter des actions de sa propre vie, de créer une sorte de liste de vérification. Norman Cousins, un homme qui a survécu à une grave maladie cardiaque en croyant aux vertus vivifiantes de l'espoir, de l'amour et du rire, écrit : «La mémoire est le lieu où se trouvent emmagasinées les preuves de la vie.»[45]

44. Lon Nungusser, *Notes on Living until We Say Goodbye*, New York : St. Martin's Press, 1988, p. 16.
45. Norman Cousins, *The Healing Heart : Antidotes to Panic and Helplessness*, Boston : G. K. Hall, 1984.=

Souvent, ce n'est pas la mort qui nous attend, mais la guérison. Et plus souvent qu'autrement, la guérison prend tout son temps. La guérison est bien plus que la cicatrisation d'une blessure physique ou la correction d'un trouble émotif.

La guérison avance à petits pas à travers la douleur et le chagrin et nous montre la voie d'une nouvelle acceptation. La guérison peut créer un équilibre entre toutes ces douleurs inégales et échevelées qui parsèment notre vie, avançant inexorablement telles les aiguilles d'un mécanisme d'horlogerie. C'est un mouvement de va-et-vient, qui persiste jusqu'à ce que le rythme idéal soit atteint.

Parfois, nous exigeons trop de notre âme et la guérison nous apparaît impossible. La souffrance est comme une ombre – une ombre qui vous colle à la peau ; ou une ombre qui vous écrase pour ensuite disparaître lentement. Parfois, cette ombre sera bien plus grande que vous, mais vous apprendrez à vivre avec elle, et à croire qu'elle finira par s'effacer. N'ayez pas le sentiment que vous baissez les bras – vous ne faites que vous reposer, en attendant que l'ombre veuille bien s'éloigner. « L'esprit exerce une profonde influence sur le corps. Se libérer de la maladie... repose sur la découverte de l'équilibre intérieur », peut-on lire sur la page d'accueil du site Web du Dr Deepak Chopra.

N'oubliez pas que vous êtes la personne la plus importante de votre équipe soignante. Prenez toutes les mesures nécessaires pour garder le contrôle de votre vie et des événements.

Les médecins influent grandement sur la relation que nous entretenons avec la souffrance. En rejetant le voile de l'impartialité, le médecin peut partager la douleur de son patient. « Je peux sentir leur douleur alors qu'ils me la décrivent. Je peux les comprendre sans les blâmer, et je veux qu'ils aillent mieux car ainsi j'irai mieux moi-même », ajoute Deepak Chopra. Luc, le bien-aimé médecin des évangiles chrétiens, écrit qu'une partie de la mission de Jésus est de « guérir ceux qui ont le cœur brisé ».[46]

---

46. Évangile selon saint Luc 4,18, *La Bible de Jérusalem*.

« Je n'ai jamais considéré ceci comme une "bataille" ou un "combat", écrit Helen Palmquist, de Lincolnshire dans l'Illinois.

Je n'ai jamais demandé : « Pourquoi moi ? » J'essaie de vivre ma vie aussi normalement que possible et d'en apprécier chaque instant. Mon but était de voir mon fils de 9 ans terminer l'école secondaire (il a maintenant 24 ans)... J'ai commencé à apprécier les petites choses : me sentir suffisamment bien pour aller au supermarché, me mettre au lit toute seule, et regarder dans ma cour arrière.

Je n'ai pas versé une seule larme. Il fallait que je m'occupe de mes enfants. Centrer ma vie sur eux a été merveilleux... mais je me suis également fait des cadeaux. Mes traitements de chimiothérapie ont fait l'objet d'un compte à rebours. Après chaque traitement, lorsque j'avais repris quelques forces, ma cousine, une amie et moi faisions une petite fête autour d'un bon repas. Nous le faisons ENCORE, mais cette fois après mes examens de suivi.

Helen a maintenant quinze années de survie à son actif.

CONCLUSION

*P*our toutes celles d'entre nous qui sommes atteintes d'un cancer ou qui l'avons été, les abréviations A.C. et A.D. ont une signification particulière : elles ne veulent pas dire *Ante Christum* et *Anno Domini*, mais bien *Avant le Cancer* et *Après le Diagnostic*. Que ce soit après 6 mois, 2 ans ou 10 ans, le cancer est la première chose qu'un médecin soupçonne lorsque vous présentez le moindre symptôme. Cela ne nous traversait jamais l'esprit lors des années A.C., mais depuis que nous vivons A.D., nous n'en sommes que trop conscientes. Comme le dit A.C. Lewis : « Celui qui a voyagé en pays étranger ne peut en revenir inchangé. »

Les murs de mon bureau et toutes les surfaces disponibles sont tapissés de proverbes, d'adages et de maximes. Ce sont des mots empruntés à la Bible, à Lao Tseu, à Thich Nhat Hanh, à Bouddha et à de nombreux autres auteurs, anciens ou contemporains.

« Mais ceux qui espèrent en Yahvé
renouvellent leur force,
ils déploient leurs ailes comme des aigles,
ils courent sans s'épuiser,
ils marchent sans se fatiguer. »[47]

« Au soir la visite des larmes, au matin les cris de joie. »[48]

---

47. (Isaïe 40,31), *La Bible de Jérusalem.*
48. (Les Psaumes 30,6), *La Bible de Jérusalem.*

Plié mais entier.
Incliné mais droit.
Vide mais rempli.
Usé mais neuf.[49]

« Ton travail consiste à découvrir ton dessein et ensuite, de tout ton cœur, à t'y donner tout entier. »[50]

« La paix est partout autour de nous – dans le monde et dans la nature – et à l'intérieur de nous – dans notre corps et dans notre esprit. Lorsque nous aurons appris à toucher cette paix, nous serons guéris et transformés. Ce n'est pas une question de foi, mais une question de pratique. »[51]

De petits bouts de papier aux bords dentelés, des extraits des nombreux courriels que j'ai reçus, sont collés un peu partout sur mon ordinateur, le moniteur et l'imprimante. En voici un très touchant que j'ai relu en allumant mon moniteur : « Merci d'avoir entrepris la rédaction d'un tel ouvrage. Ensemble, nous pouvons sauver des vies. » Il m'a été envoyé par Cynthia, qui vit à Raleigh en Caroline du Nord. Merci, Cynthia, pour tes nombreux encouragements.

Cynthia résume précisément la raison pour laquelle j'ai voulu me consacrer à ce projet. En conscientisant les femmes et les médecins au problème du cancer des ovaires, nous arriverons peut-être à en déceler les symptômes plus rapidement et à sauver des vies. Cet effort d'éducation se fait donc sur deux plans : les femmes doivent être capables de reconnaître les symptômes et d'en parler à leur médecins ; et les médecins doivent porter une attention particulière à ces symptômes. Les femmes connaissent bien leur corps, et elles savent reconnaître ce « quelque chose qui ne va pas ».

49. Lao Tseu dans James Miller, *Winter Grief, Summer Grace,* Minneapolis : Augsburg Fortress, 1995, p. 50.
50. Gautama Bouddha.
51. Thich Nhat Hanh, *Be Still and Know,* New York : Riverhead Books, 1996, p. 54.

Aussi, je me rappelle le peu de documentation disponible à propos du cancer des ovaires lorsque j'ai reçu mon diagnostic. J'aurais alors tellement aimé lire quelques témoignages de femmes qui vivaient la même chose que moi. Je faisais alors mes premiers pas dans cet univers qu'est le cancer. C'est pourquoi j'appelle ce livre un «guide».

Cet ouvrage est un hommage à la force et à la détermination de nombreuses personnes qui ont ouvert leur cœur et partagé leur histoire dans l'espoir d'en aider d'autres. «La foi est l'audace de l'âme qui ose aller au-delà de ce qu'elle peut voir. »[52]

Vous rappelez-vous Kathy Boudoin, dont le témoignage a été présenté au début de ce livre? Elle demandait que l'on prie pour elle car elle allait être opérée le lendemain...

Inquiète, je lui ai envoyé un courriel. J'ai eu un serrement de cœur lorsque j'ai vu apparaître son adresse électronique sur mon moniteur : quel diagnostic avait-elle reçu?

Ce qui semblait être une grosse tumeur n'était en réalité qu'un énorme kyste encapsulé. Elle a repris le cours normal de sa vie, pleine de reconnaissance, mais elle ajoute qu'elle ne sera plus jamais la même après avoir frôlé de si près le spectre du cancer ovarien. Elle a joint nos rangs et fait du bénévolat pour mieux faire connaître cette lutte que nous menons contre le cancer des ovaires. En réponse à sa requête, disons-lui : «Que Dieu vous bénisse! »

---

52. William Newton Clark.

ANNEXE A
National Ovarian Cancer Association
(NOCA)

*L*a *National Ovarian Cancer Association* se consacre à la lutte contre le cancer des ovaires et apporte son soutien aux femmes qui luttent contre cette maladie, ainsi qu'à leurs proches. L'Association se veut également un organe d'information auprès du grand public et des professionnels de la santé. Elle finance la recherche en matière de dépistage précoce et d'élaboration de meilleurs traitements dans le but ultime de trouver un remède au cancer.

Le leadership de l'Association est manifeste si l'on considère les nombreuses initiatives dont elle est l'instigatrice :

Soutien

- Réseau de communication à l'échelle nationale afin de soutenir les femmes qui vivent dans des régions éloignées et qui n'ont pas accès à un groupe de soutien local.

- Création d'une série de congrès nationaux présentés à des fins d'éducation et de soutien dans diverses communautés.

- Publication d'un bulletin intitulé *Seeds of Hope* à l'intention des femmes touchées par le cancer.

Information / Éducation

- *Ovarian Cancer Forum 99*, le premier colloque multidisciplinaire consacré au cancer des ovaires au Canada, tenu en mai 1999.

- « Listen to the Whispers », un programme d'éducation publique constitué d'une vidéo et d'un diaporama, qui a jusqu'à maintenant été présenté à 40 000 femmes dans leur communauté.

- Lancement du site Web de la *National Ovarian Cancer Association*, récipiendaire d'un prix : **www.ovariancancer.org**.

- Le Ovarian Cancer Project, un projet doté d'un budget de 300 000 $, échelonné sur trois ans, et ayant pour but de créer de nouvelles ressources à l'intention des femmes en santé, des femmes touchées par le cancer et des professionnels de la santé.

Recherche médicale

- En association avec *Santé Canada*, réalisation de la première étude nationale sur le cancer des ovaires, publiée dans *Cancer Prevention and Control*, en février 1999.

- Financement d'une banque de tissus nationale, située au *Sunnybrook Regional Centre*, à Toronto, et ayant des succursales à Ottawa et à Vancouver.

- Nomination du D[re] Barbara Vanderhyden à titre de première titulaire de la Chaire Corinne Boyer pour la recherche sur le cancer des ovaires à l'université d'Ottawa.

- Création en 2001 du *Gynecological Cancer Research Award*, une bourse destinée à la formation de jeunes scientifiques.

Mais il y a encore beaucoup de travail à faire ! Nous devons continuer à informer les femmes du Canada et leur apprendre à reconnaître les signes précurseurs du cancer des ovaires car le dépistage précoce accroît le taux de survie de 90 %.

Il nous faut conscientiser les professionnels de la santé à propos des tests qui devraient être faits lorsqu'une patiente présente des symptômes de la maladie. Nous devons financer la recherche en matière de dépistage précoce et d'élaboration de meilleurs traitements du cancer ovarien. Et nous devons trouver des ressources afin d'aider les chercheurs à trouver un remède.

Votre don, déductible du revenu imposable, nous aidera à poursuivre nos efforts dans la création de programmes de soutien, d'éducation et de recherche à travers le Canada. Un reçu d'impôt pour activités de bienfaisance sera émis pour tous les dons de plus de 10 $.

Notre adresse postale :
National Ovarian Cancer Association
27 Park Rd.
Toronto, Ontario
Canada M4W 2N2
1 877 413-7970

La *National Ovarian Cancer Association* est une œuvre de bienfaisance enregistrée au Canada : BN87297 4845 RR0001.

Consultez notre site Web à l'adresse suivante : **www.ovarian cancer.org**. Il regorge d'informations destinées aux patientes, au personnel soignant, aux médecins, à la famille et aux amis.

NOCA est fière de commanditer cet ouvrage qui s'adresse aux femmes touchées par le cancer des ovaires. Nous sommes reconnaissants à Diane Sims et à tous ceux qui ont contribué à sa création.

ANNEXE B
CHIMIOTHÉRAPIE

*C*arboplatine (aussi connu sous le nom de *Paraplatin-AQ*) : Les effets secondaires les plus courants sont les nausées et les vomissements, la fatigue et une sensation de faiblesse. Parmi les effets secondaires moins courants, on compte l'engourdissement et des picotements dans les mains ou les pieds, une altération auditive, ainsi que des ulcérations buccales et une sensibilité des tissus de la bouche. Signalez tout effet indésirable à votre médecin ou au personnel infirmier.

Cisplatine: Parmi les effets secondaires les plus courants, qui devraient être immédiatement signalés à votre médecin ou au personnel infirmier, on compte les nausées et les vomissements, les douleurs articulaires, la perte d'équilibre, l'acouphène et l'altération auditive.

Cyclophosphamide (aussi connue sous le nom de *Cytoxan* et de *Procytox*) : Les effets secondaires les plus courants sont la perte de cheveux, la pigmentation de la peau ou des ongles, l'aplasie médullaire, les nausées, les vomissements et la diarrhée. Parmi les effets secondaires moins courants, qui devraient être immédiatement signalés à votre médecin ou au personnel infirmier, on compte les étourdissements, la confusion et l'agitation.

Doxorubicine (aussi connue sous le nom de *Adriamycin*) : Les effets secondaires les plus courants sont les nausées, les vomissements et la perte de cheveux. La doxorubicine donnera à votre urine une coloration rouge pendant un ou deux jours après son administration, mais il ne s'agit pas de sang et il ne faut pas vous en inquiéter. Elle peut aussi causer des ulcérations buccales et labiales. Signalez tout effet indésirable à votre médecin ou au personnel infirmier.

Étoposide (aussi connu sous le nom de *VP-16* et de *Vepesid*) : Les effets secondaires les plus courants sont l'aplasie médullaire, l'anorexie, la perte de cheveux, les nausées et les vomissements. Signalez tout effet indésirable à votre médecin ou au personnel infirmier.

Gemcitabine (aussi connue sous le nom de *Gemzar*) : Les effets secondaires les plus courants sont l'aplasie médullaire, la constipation, la diarrhée, un sentiment de malaise généralisé, l'anorexie, les douleurs musculaires, les nausées et les vomissements, la rhinorrhée, la sudation, l'insomnie et la perte de cheveux. Parmi les effets secondaires moins courants, on compte l'essoufflement, la toux et l'enrouement, les céphalées soudaines et intenses, la miction douloureuse, les douleurs au niveau de la poitrine, des bras ou du dos, les changements de pigmentation, les selles noires ou poisseuses, l'urine trouble ou la présence de sang dans l'urine, les œdèmes ou la tuméfaction, les contusions et la fatigue. Signalez tout effet indésirable à votre médecin ou au personnel infirmier.

Topotécan (aussi connu sous le nom de *Hycamtin*) : Les effets secondaires les plus courants sont l'aplasie médullaire, les douleurs abdominales, la constipation, la diarrhée, les maux de tête, l'anorexie, les nausées ou les vomissements, l'engourdissement et des picotements dans les mains ou les pieds, une sensation de faiblesse dans les bras ou les jambes et la perte de cheveux.

Parmi les effets secondaires moins courants, on compte les selles noires ou poisseuses, la présence de sang dans l'urine ou les selles, l'enrouement, la miction difficile ou douloureuse, la lombalgie, les rougeurs cutanées, les contusions et les saignements inhabituels, la fatigue ou la faiblesse inhabituelle. Signalez tout effet indésirable à votre médecin ou au personnel infirmier.

Ifosfamide (aussi connue sous le nom de *Ifex*, de *Iphosphamide* et de *NCS-109724*) : Les effets secondaires les plus courants sont une fatigue inhabituelle, les nausées et les vomissements, ainsi que la perte de cheveux. Parmi les effets secondaires moins courants, on compte la présence de sang dans l'urine ou la miction douloureuse, la confusion et les hallucinations. Signalez tout effet indésirable à votre médecin ou au personnel infirmier.

Melphalan (aussi connu sous le nom de *Alkeran*) : Les effets secondaires les plus courants sont l'aplasie médullaire, les nausées et les vomissements. Parmi les effets secondaires moins courants, on compte les éruptions cutanées et la néphropathie. Signalez tout effet indésirable à votre médecin ou au personnel infirmier.

Mitomycine (aussi connue sous le nom de *Mitomycine C*) : Les effets secondaires les plus courants sont la diarrhée, les maux de tête, les nausées et les vomissements. Parmi les effets secondaires moins courants, on compte les douleurs articulaires et musculaires, l'essoufflement, les saignements, les éruptions cutanées, le bleuissement des ongles. Signalez tout effet indésirable à votre médecin ou au personnel infirmier.

Paclitaxel (aussi connu sous le nom de *Taxol*) : Les effets secondaires les plus courants, apparaissant deux ou trois jours après le traitement, sont la diarrhée, les nausées et les vomissements, l'engourdissement, des picotements ou une sensation de brûlure dans les mains ou les pieds, ainsi que des douleurs articulaires ou musculaires. Les effets secondaires peuvent également se manifester sous la forme de rougeurs de la face et du cou, d'éruptions cutanées, de douleurs dans le bas du dos et au côté, et de miction difficile ou douloureuse. Signalez tout effet indésirable à votre médecin ou au personnel infirmier.

Le problème avec la chimiothérapie, c'est qu'elle agit indifféremment sur les cellules normales et les cellules anormales. Cela signifie qu'en s'attaquant rapidement aux cellules cancéreuses qui se multiplient, la chimiothérapie détruit également des cellules saines.

Rappelez-vous que la chimiothérapie n'entraîne pas toujours d'effets secondaires graves. Tout le monde n'y réagit pas de la même façon. De plus, presque tous les effets indésirables sont temporaires. Ils disparaîtront lentement une fois le traitement terminé.

Dans *La Chimiothérapie : vous et votre traitement*, un ouvrage publié par la *Société canadienne du cancer*, on peut lire :

De nombreux patients ont très peur de la chimiothérapie étant donné qu'ils ont lu des descriptions sur des effets secondaires importants des traitements dans les journaux et autres publications. En vérité, les effets secondaires sont rarement aussi pénibles que les gens se l'imaginent.

En fait, les effets secondaires de votre chimiothérapie seront peut-être tout à fait tolérables. Vous irez peut-être chez votre médecin ou à la clinique, recevrez votre injection (ou traitement), retournerez chez vous ou au travail et poursuivrez vos activités normales. Nous n'entendons malheureusement que trop rarement parler de ces cas.

GLOSSAIRE

(En italique : quelques termes ajoutés par l'auteure)

Aigu : Qui se manifeste soudainement, en parlant de symptômes ou d'une maladie.

Alopécie : Chute des cheveux et des poils corporels.

Altération gustative : Modification de la perception des saveurs, donnant souvent l'impression que les aliments sont fades ou peu appétissants.

Analgésique : Médicament qui soulage la douleur. L'aspirine et l'acétaminophène (*Tylenol*®, par exemple) sont des analgésiques doux.

Anémie : Diminution du nombre des globules rouges dans le sang, entraînant des symptômes de fatigue, d'essoufflement et de faiblesse.

Anorexie : Perte de l'appétit qui peut survenir à la suite de la cancérothérapie.

Anticorps : Substance fabriquée par l'organisme pour lutter contre des agents infectieux.

Anticorps monoclonaux : Molécules fabriquées par le système immunitaire, capables de «reconnaître» et de se fixer sur une structure chimique complémentaire de la leur, appelée antigène. On espère pouvoir les utiliser un jour pour diagnostiquer et traiter le cancer.

Antiémétique : Médicament employé pour prévenir ou soulager les nausées et les vomissements.

Antigène : Substance étrangère qui stimule la production d'anticorps par le système immunitaire.

Antihormones : Substances qui s'opposent aux effets des hormones qui stimulent la croissance des tumeurs cancéreuses.

Antinéoplasique : Médicament utilisé pour détruire les cellules cancéreuses ou empêcher leur croissance et leur prolifération.

Arythmie : Irrégularité du rythme cardiaque.

Ascite : Liquide renfermant des protéines et des électrolytes tels que le potassium, le calcium et le sodium, et dont l'accumulation est anormale dans l'abdomen. Tout épanchement liquidien dans la cavité péritonéale est l'expression d'une maladie ou d'une anomalie. La production d'ascite augmente tout au long des quatre stades qui caractérisent l'évolution du cancer ovarien. La quantité de liquide dans l'abdomen permet souvent de déterminer le stade de la maladie et l'examen au microscope permet de détecter la présence de cellules cancéreuses. C'est ce qu'on appelle un *examen cytologique*.

Aspiration : Méthode utilisée pour drainer des liquides à des fins d'analyse.

Auto-immunité : État anormal qui se manifeste lorsque le corps est incapable de reconnaître ses propres cellules et qu'il réagit contre ses propres tissus.

Bénin : Caractérise toute excroissance non cancéreuse qui ne s'étend pas aux tissus avoisinants et qui ne met généralement pas la vie en danger.

Bien : *Portez-vous aussi bien que possible aujourd'hui.*

Biopsie : Prélèvement d'un fragment de tissu qui fera l'objet d'un examen au microscope afin de confirmer ou d'écarter un diagnostic de cancer.

Bonheur : *Cet instant où l'infirmière confirme qu'elle entend des borborygmes dans votre ventre! Aussi, n'importe quel film mettant en vedette John Candy peut faire sourire un cœur tourmenté.*

CA-125 : Marqueur tumoral. Utilisé seul, ce test n'est pas un outil de dépistage adéquat. Il est plus utile dans le cadre du suivi des patientes ayant reçu un diagnostic de cancer ovarien.

Cachexie : Grave perte de poids et déperdition générale résultant d'une maladie chronique.

Cancer : Maladie caractérisée par la croissance anarchique de cellules malignes qui peuvent se propager à d'autres parties du corps si elles ne sont pas éliminées à temps.

Cancer des cellules reproductrices de l'ovaire : Il apparaît dans les cellules germinales de l'ovaire. Cette forme de cancer se manifeste surtout chez les enfants et les adolescentes et elle est rare comparativement au cancer épithélial de l'ovaire.

Cancer épithélial de l'ovaire : Il apparaît dans l'enveloppe externe de l'ovaire (capsule ovarienne). C'est la forme de cancer de l'ovaire la plus fréquente et elle se manifeste surtout chez les femmes adultes.

Cancer in situ : Cancer à un stade précoce qui est toujours limité au tissu où il a pris naissance.

Cancer ovarien : Type de cancer qui prend naissance dans les ovaires.

Carboplatine : Nom générique du *Paraplatin*®, un médicament chimiothérapeutique.

Carcinogène ou cancérigène : Se dit d'une substance pouvant causer le cancer. Par exemple, la cigarette est un carcinogène pouvant causer le cancer du poumon.

Carcinome : Type de cancer qui se déclare dans les cellules de la peau ou dans les cellules qui tapissent les organes. Les poumons, les intestins et l'utérus sont des organes creux où le carcinome prend souvent naissance.

Cathéter : Tube de plastique flexible utilisé pour injecter un produit dans l'organisme ou pour en extraire des liquides.

Cathéter de Hickman : Dispositif inséré chirurgicalement dans une grosse veine près du cœur. Le cathéter crée en quelque sorte un «tunnel» sous la peau et son point d'émergence, qui est situé au niveau de la poitrine, permet l'administration de médicaments, d'un soluté et de produits sanguins de manière à éviter l'utilisation répétée de la seringue.

Cellules squameuses : Cellules minces et aplaties.

Chambre d'injection : Tube relié à un disque de la taille d'une pièce de 25 sous implanté par voie chirurgicale sous la peau de la poitrine ou de l'abdomen. Le tube est inséré dans une grosse veine. La perfusion de solutés, de médicaments ou de produits sanguins se fait au moyen d'une aiguille qui est fixée au disque.

Chimiorésistance : Faculté des cellules cancéreuses à développer des mécanismes leur permettant de se protéger des effets d'un médicament spécifique.

Chimiothérapie : Traitement d'une maladie au moyen de médicaments.

Traitement adjuvant : Chimiothérapie habituellement administrée après que toutes les tumeurs détectables ont été retirées au moyen de la chirurgie ou de la radiothérapie afin de détruire les cellules cancéreuses résiduelles.

Chimiothérapie d'association : Emploi simultané d'au moins deux agents anti-cancéreux dans le traitement du cancer.

Chronique : Qui persiste durant une longue période. Les maladies chroniques évoluent lentement; elles sont continues ou intermittentes.

Cisplatine : Nom générique du *Platinol*®, un médicament chimiothérapeutique.

Col utérin : Partie inférieure de l'utérus.

Coloscopie : Technique diagnostique pour l'examen visuel du côlon ou du gros intestin au moyen d'un tube souple doté d'une source lumineuse à l'une de ses extrémités.

Colostomie : Intervention chirurgicale comportant la création sur le côlon d'un orifice à travers la paroi abdominale; le contenu des intestins se vide par cet orifice dans un sac fixé à la paroi.

Confort : *Une amie qui vous offre des sous-vêtements neufs après un séjour de deux semaines à l'hôpital! Pour couronner le tout, elle vous apporte aussi votre soupe chinoise préférée et des rouleaux du printemps (je pense ici à Maria Fletcher qui m'a offert ces merveilleux cadeaux!). Des amies qui font un trajet de plusieurs centaines de kilomètres après chaque intervention chirurgicale afin d'être à vos côtés (à Cindy Howard avec tendresse!) et ceux qui vous accompagnent en séchant vos larmes et qui passent la nuit à votre chevet quand vous avez mal (merci à Lise Renaud, Harvey Sims, Marliesa Bontje et Lykke Van Drunen... et bien sûr, à Bob Roth!).*

Consultation : Révision des antécédents médicaux d'un nouveau patient, des résultats d'examen, des clichés radiologiques ou pathologiques afin de déterminer si un traitement est nécessaire.

Creux axillaire : Aisselle.

Cystite : Inflammation de la vessie causée par des bactéries.

Diagnostic : Acte par lequel le médecin identifie la nature d'une maladie avant de recommander un traitement. Dans le cas du cancer des ovaires, cet acte entraîne habituellement une exploration chirurgicale.

Douleur : *Mot de sept lettres qu'il n'est pas facile de définir. Dans le* Manuel de Merck, *la « bible » du médecin, on définit la douleur comme étant un « phénomène subjectif complexe, composé d'une perception, indiquant une lésion tissulaire réelle ou potentielle et la réponse affective que cette perception provoque. »*[53] *En langage clair et simple, peut-être cela signifie-t-il que nous définissons nous-mêmes la douleur; nous savons comment notre corps sent la douleur – ce « phénomène subjectif. ».*[54]

Dysphagie : Difficulté à avaler ou déglutition douloureuse.

Dyspnée : Difficulté à respirer, sensation d'oppression douloureuse; essoufflement.

Dysurie : Difficulté à uriner ou miction douloureuse.

Effets secondaires : Symptômes imprévus ou indésirables causés par les médicaments et la radiothérapie.

Effort : *Action de puiser dans ses dernières réserves d'énergie afin de traîner derrière soi le support pour intraveineuse encore une fois à 4 heures du matin, avec pour seul résultat un vague gargouillement intestinal !*

Électrocardiogramme (ÉCG) : Épreuve diagnostique qui consiste à enregistrer les ondes électriques émises par les mouvements du cœur. Un graphique anormal peut laisser supposer l'existence d'une maladie cardiaque.

Endométriose : Présence et développement de tissu endométrial en dehors de la cavité utérine. Elle entraîne souvent des douleurs violentes et la stérilité.

Endoscopie : Méthode d'exploration visuelle qui permet de détecter des anomalies à l'aide d'un tube flexible constitué de fibres de verre et inséré par la bouche dans l'œsophage, l'estomac ou l'intestin grêle *(endoscopie supérieure)*, ou par l'anus dans le gros intestin *(endoscopie inférieure)*.

Épanchement : Collection liquide dans une cavité du corps qui se trouve habituellement entre deux tissus contigus. Par exemple, un épanchement pleural est une accumulation de liquide entre les poumons et la plèvre (le tissu qui les entoure).

Érythème : Rougeur de la peau.

---

53. Robert Berkow, *Manuel Merck de diagnostic et thérapeutique*, 2ᵉ édition française, Éditions d'Après, Paris, 1994, p. 1327.
54. *Id.*

Érythrocyte : Globule rouge qui assure le transport de l'oxygène dans les tissus de l'organisme et le rejet du gaz carbonique par les poumons.

Essais cliniques : Études de recherche effectuées sur des volontaires humains et visant à vérifier si de nouveaux traitements ou de nouvelles méthodes de traitement du cancer peuvent donner de meilleurs résultats que les moyens déjà existants.

Examen pelvien recto-vaginal : Examen qui permet au médecin d'évaluer la taille des ovaires, la disposition et la mobilité de l'utérus, et de détecter la présence de tumeurs. Le médecin insère simultanément deux doigts dans le vagin et le rectum. Cette intervention peut être désagréable, mais elle n'est pas douloureuse.

Exercice : *Essayez de vous asseoir dans votre lit d'hôpital avec des bandages de Montgomery !*

Exérèse : Ablation par voie chirurgicale d'un organe ou d'un tissu, incluant les tumeurs cancéreuses.

Extravasation : Écoulement d'un médicament hors de la veine dans laquelle il a été injecté et dans les tissus avoisinants. L'extravasation peut causer la destruction des tissus.

Famille : *Vous pouvez toujours compter sur les membres de votre famille pour vous offrir des bouquets de fleurs aux couleurs vives, vous téléphoner chaque jour, et même vous aider financièrement à traverser ces moments difficiles. Merci Ruthmarie Schroeder, Ruth Samson, Edy et Chris Samson et Bob Allen – je vous aime tous !*

Foie : Plus grand organe du corps, situé dans la partie supérieure droite de l'abdomen. Il élimine du sang les drogues, l'alcool et les autres produits chimiques nocifs. Il participe également au métabolisme des glucides, des lipides et des protides et au stockage de nutriments, de vitamines et de minéraux essentiels.

Force : *« Ne crains pas car je suis avec toi... je t'ai fortifiée et je t'ai aidée . . »*[55]

Ganglions lymphatiques : Petites glandes en forme de haricot qui filtrent les impuretés transportées par la lymphe. Les ganglions lymphatiques agissent comme moyen de défense de première intervention contre les infections et le cancer.

Globules blancs : Cellules responsables de la lutte contre les microbes, les infections et les substances entraînant des réactions allergiques.

Globules rouges : Cellules sanguines dont la principale fonction est le transport de l'oxygène vers tous les organes et tissus du corps et l'élimination du gaz carbonique.

---

55. (Isaïe 41,10), *La Bible de Jérusalem.*

Globules sanguins : Cellules qui forment le sang. Elles sont produites par la moelle osseuse et se composent des globules rouges, des globules blancs et des plaquettes.

Granulocyte : Type de globule blanc qui détruit les bactéries.

Guérison : Dans le traitement du cancer, signifie habituellement qu'une personne a environ la même espérance de vie que si elle n'avait jamais souffert de cette maladie. Ce terme est souvent utilisé lorsqu'il y a rémission depuis au moins 5 ans.

Hématocrite (HCT) : Volume occupé par les globules rouges dans une quantité donnée de sang. Un pourcentage trop faible du volume globulaire est un signe d'anémie.

Hématurie : Présence de sang dans l'urine.

Hyperalimentation (aussi appelée **APT – Alimentation parentérale totale**) : Administration de nutriments par intraveineuse afin d'assurer la survie d'une personne incapable de se nourrir.

Hystérectomie : Ablation de l'utérus.

Ictère (jaunisse) : Affection caractérisée par un jaunissement de la peau, des muqueuses et des liquides organiques que l'on associe à un trouble de la vésicule biliaire ou du foie.

Imagerie par résonance magnétique (IRM) : Méthode indolore permettant de réaliser des images des organes internes à l'aide d'une machine composée d'un tunnel formé d'un puissant aimant.

Immunothérapie : Forme de traitement visant à stimuler la production d'anticorps par le système immunitaire en vue de combattre la maladie.

Injection : Mode d'administration de liquides au moyen d'une seringue et d'une aiguille.

Intramusculaire (IM) : Dans un muscle.

Intraveineux (IV) : Dans une veine.

Joie : *Se réveiller après une chirurgie et voir le visage d'un être cher et sentir la caresse de sa main sur notre front. Merci, Bob, pour toutes ces fois où tu as été là...*

Kyste : Genre de sac rempli d'une substance liquide ou semi-solide.

Laparoscopie : Intervention chirurgicale qui consiste à pratiquer une courte incision, habituellement au-dessus de l'ombilic, où l'on introduit un tube muni d'une source de lumière (**laparoscope**). La laparoscopie est moins effractive que la chirurgie abdominale ouverte et la guérison est plus rapide.

Laparotomie : Intervention chirurgicale permettant d'examiner les organes de l'abdomen grâce à une fine incision, essentielle pour diagnostiquer le cancer des ovaires et en déterminer les différents stades de développement.

Larmes : *Larmes de douleur, de chagrin, de regret, et larmes de joie, de soulagement et d'amour !*

Lavement baryté : Utilisation d'une substance opaque aux rayons X (sulfate de baryum) introduite par voie rectale en vue d'une exploration radiologique du gros intestin.

Lésion : Excroissance ou abcès pouvant résulter d'une blessure ou d'une maladie telle que le cancer.

Leucocyte : Voir **Globule blanc**.

Leucopénie : Diminution anormale du nombre de leucocytes (globules blancs).

Livres : *N'importe quel ouvrage de Joan Barfoot ou Carol Shields vous aidera à traverser ces longues heures où le sommeil vous fuit.*

Lymphocyte : Type de globule blanc qui fabrique des substances en vue de lutter contre les microbes, les tissus étrangers ou les cellules cancéreuses.

Lymphœdème : Enflure d'un tissu causée par une obstruction des ganglions lymphatiques cancéreux ou par l'ablation des ganglions lymphatiques.

Maladie systémique : Maladie qui touche l'ensemble du corps au lieu de se cantonner à un seul système.

Meilleurs amis : *Ces personnes qui vous font rire et qui vous donnent une raison de vivre ! Merci à mes amis : Cindy, David, Judith, Yvonne, Maria, Lykke, Cathy, Marliesa, Jacquie, Mary Helen, Diane, Bizzie, Gracie et, bien sûr, Bob ! xoxox*

Métastaser : Migrer à partir du foyer cancéreux primitif vers d'autres parties du corps.

Moelle osseuse : Tissu spongieux situé à l'intérieur des os et produisant la majeure partie des globules rouges.

Nécrose : Habituellement, mort localisée de certaines cellules d'un tissu vivant.

Nodule : Petite masse de tissu qui est souvent maligne.

Néoplasme : Formation de tissus nouveaux ou de cellules anormales ; tumeur généralement maligne.

Nœuds axillaires : Nœuds lymphatiques – aussi appelés ganglions lymphatiques – situés dans la région axillaire (aisselle).

Nullipare : Sans enfant. Le cancer des ovaires est plus fréquent chez les femmes qui n'ont jamais eu d'enfant ou qui en ont eu peu.

Numération des globules blancs : Détermination du nombre de globules blancs dans un échantillon de sang.

Numération des globules rouges : Détermination du nombre de globules rouges dans un échantillon de sang.

Numération globulaire : Nombre de globules rouges, de globules blancs et de plaquettes par unité de volume de sang.

Œdème : Gonflement des tissus causé par une accumulation anormale de liquides.

Œstrogène : Hormone femelle produite par les ovaires. Les glandes surrénales en produisent également une petite quantité.

Omentectomie : Résection de l'**épiploon**, une couche de gras qui se trouve au-dessus des intestins.

Oncologie : Étude du cancer et des traitements anticancéreux. On appelle **oncologues** ou **oncologistes** les médecins spécialisés dans cette discipline. Les médecins qui se spécialisent dans le diagnostic et le traitement des types de cancer affectant les organes de l'appareil reproducteur féminin sont des **gynécologues oncologues**.

Oups ! : Votre chemise d'hôpital s'est ouverte – ENCORE ? Qui est le responsable ici ?

Ovaires : Glandes génitales femelles qui produisent les ovules et qui sécrètent la majeure partie des œstrogènes et de la progestérone, ces hormones qui règlent la physiologie de la femme. Il y a deux ovaires, un de chaque côté du bassin.

Ovariectomie : Ablation d'un ovaire par voie chirurgicale.

> **Ovariectomie bilatérale :** Ablation des deux ovaires.

> **Salpingo-ovariectomie :** Ablation des ovaires et des trompes de Fallope.

Ovariectomie prophylactique : Ablation des ovaires lorsque le risque d'apparition d'un cancer ovarien est très élevé.

Paclitaxel : Nom générique du *Taxol®*, un médicament chimiothérapeutique.

Papillons : Ils se posent parfois sur le rebord des fenêtres de l'hôpital. Pendant un moment, fuyez l'instant présent et imaginez que vous volez avec eux.

Paracentèse : Intervention au cours de laquelle on prélève, sous anesthésie locale, un échantillon de liquide de la cavité abdominale au moyen d'une aiguille et d'une seringue.

Pathologie : Étude des modifications des tissus et des liquides organiques causées par les maladies. On appelle pathologiste le médecin qui se spécialise dans cette discipline. Il examine les biopsies et détermine s'il y a présence de cellules cancéreuses.

Perfusion : Injection intraveineuse lente et prolongée d'un médicament chimiothérapeutique ou d'un liquide.

Pétéchies : Petites taches de sang, semblables à des points rouges, causées par la rupture de petits vaisseaux sanguins situés juste sous la peau. Elles sont habituellement dues à un taux insuffisant de plaquettes dans le sang.

Plaisir : Des amis qui vous apportent en douce des esquimaux à la cerise ou au citron vert à 2 heures du matin !

Plaquettes : Petites cellules sanguines qui sont responsables du déclenchement du processus de coagulation du sang.

Pompe à perfusion : Instrument mécanique utilisé pour maintenir un débit régulier lorsque des médicaments ou des liquides sont administrés dans l'organisme par voie intraveineuse.

Progestérone : L'une des hormones femelles sécrétées par les ovaires.

Pronostic : Prévision de l'évolution d'une maladie ; espérance de vie.

Protocole : Programme thérapeutique comprenant une description détaillée des médicaments anticancéreux, de la posologie établie et de leurs dates d'administration.

Question : *Hé! attendez une minute, docteur, j'ai une question. Hé! m'entendez-vous? Docteur? Docteur?*

Radiologiste : Médecin spécialisé dans le diagnostic des maladies au moyen des rayons X.

Radiothérapie : Emploi de rayons X en vue de détruire ou d'affaiblir les cellules cancéreuses.

Rate : Organe de couleur pourpre et de forme ovale, situé dans la partie supérieure gauche de l'abdomen, près de la queue du pancréas. La rate fait partie du système immunitaire et elle filtre la lymphe et le sang.

Rayons X : Ondes courtes émises par une source électromagnétique de haute énergie, employées à des fins diagnostiques et dans le traitement de certains types de cancer.

Réaction toxique : Graves effets secondaires qui peuvent être très dangereux.

Récidive : Réapparition d'une maladie après une période de santé complète.

Rechute : Retour des symptômes d'une maladie pendant la période de convalescence.

Réduction tumorale : Intervention chirurgicale consistant à enlever une portion d'une tumeur.

Régression : Atténuation de la transformation tumorale.

Regret : *Cet enfant que vous n'avez jamais eu. Qui aurait-il ou aurait-elle pu être?*

Rémission : Disparition complète ou provisoire des symptômes d'une maladie ; période pendant laquelle une maladie est maîtrisée et n'occasionne pas de symptômes ni de signes.

Rires : *Tenir une réunion des anciens du secondaire dans votre chambre d'hôpital. Vous êtes enfin la reine du bal!*

Rôties : *Jamais des rôties n'ont été aussi délicieuses que les rôties au beurre d'arachide et à la confiture que mon frère m'a apportées, avec un pot de café bien chaud, pour m'aider à commencer la journée lorsque je suis retournée à l'hôpital pour ma deuxième chirurgie. Je n'oublierai jamais, Harv, d'accord?*

Salpingectomie : Ablation des trompes de Fallope.

Soda : Canada Dry^MC est sans doute le meilleur! (Vivez! Choisissez la vraie boisson, et non sa version diète)!

Soins palliatifs : Ensemble des soins qui servent à atténuer les souffrances d'un malade sans pouvoir le guérir.

Stadification : Processus d'évaluation de l'étendue de l'atteinte tumorale, ainsi que du stade évolutif de la maladie.

Stéroïdes : Hormones, vitamines et autres substances souvent utilisées dans le traitement du cancer.

Stomatite : Inflammation et sensibilité des tissus de la bouche. Il s'agit parfois d'un effet secondaire consécutif à la chimiothérapie.

Syndrome du cancer de l'ovaire familial : Anomalie héréditaire associée à un risque accru de cancer. Trois types de syndromes liés à des facteurs génétiques ont été décrits : des syndromes familiaux de cancers spécifiques du siège (ovaire seulement), des syndromes familiaux comportant à la fois des tumeurs du sein et de l'ovaire, et des syndromes familiaux prédisposant au cancer colorectal sans présence de polypes et au cancer ovarien.

Système immunitaire : Ensemble des moyens de défense de l'organisme contre les infections et les maladies.

Système lymphatique : Réseau de vaisseaux qui transportent la lymphe entre des ganglions lymphatiques situés partout dans l'organisme.

Thrombocytopénie : Affection caractérisée par une quantité anormalement faible de plaquettes (**thrombocytes**) dans le sang. Puisque les plaquettes sont nécessaires à la coagulation, un nombre peu élevé peut engendrer une certaine fragilité à la formation d'ecchymoses ou la tendance aux saignements. La thrombocytopénie peut être due à la maladie, à une réaction à des médicaments ou encore être un effet secondaire de la chimiothérapie.

Tomodensitogramme abdominal : Série d'images de l'abdomen obtenues par rayons X à l'aide d'un appareil qui encercle le corps tel un tube géant. Un ordinateur génère ensuite des clichés de coupe transversale des tissus de la région explorée.

Tomodensitométrie. Voir **Tomographie.**

Tomographie : Technique de radiologie permettant de réaliser des clichés de coupe transversale d'un organe après injection d'un produit de contraste.

Travail d'équipe : N'oubliez pas que vous êtes la personne la plus importante de votre équipe soignante. Allez, les filles!

Tumeur : Masse de cellules à croissance anarchique. Une tumeur peut être bénigne ou maligne.

Tumeur à la limite de la malignité : Forme de cancer qui peut éventuellement évoluer et envahir d'autres tissus. Le pathologiste peut faire la distinction entre ces tumeurs ovariennes à la limite de la malignité (TOLM) qui sont susceptibles de se propager – et de nécessiter un traitement – et les TOLM dont l'évolution est peu probable.

Tumeur maligne : Tumeur formée de cellules cancéreuses capables de se propager à d'autres parties du corps. Ce type de tumeur nécessite un traitement, habituellement au moyen de la chirurgie, de la chimiothérapie et de la radiothérapie.

Tumeur primitive : Cancer original, habituellement nommé d'après la partie du corps où la tumeur s'est formée en premier lieu. Par exemple, le cancer des ovaires qui s'est propagé au foie demeure un cancer des ovaires.

Unité de soins palliatifs : Établissement ou service offrant des soins de soutien aux patients en phase terminale.

Utérus : Organe féminin servant à héberger et à nourrir le fœtus tout au long de la grossesse jusqu'à la naissance.

Veinopuncture : Ponction veineuse en vue de prélever des échantillons de sang, d'administrer un goutte-à-goutte intraveineux ou des médicaments.

Vésicant : Substance qui, lorsqu'elle entre en contact avec un tissu, peut entraîner des brûlures, endommager ce tissu ou le détruire.

Vie : *Cette heure dont vous pouvez jouir après celle-ci. Regardez par la fenêtre...*

Virus : Minuscule organisme infectieux plus petit qu'une bactérie. Le rhume est d'origine virale.

Voyages : *Billets d'avion gratuits obtenus avec Air Miles pour aller consulter des spécialistes ou rendre visite à des amis très chers : Harv Sims à Ottawa ; Yvonne Yoerger à Ottawa ; Yvonne Yoerger en Angleterre ; et Judith Robertson (alias Do) à Vancouver. Merci du fond du cœur de m'avoir permis de faire ces voyages !*

BIBLIOGRAPHIE

Ouvrages

Anonyme. *A Guide to Coping with Gynecological Cancer*. Projet coordonné par le *Regional Women's Health Centre* du *Women's College Hospital*.

Anonyme. *La Bible de Jérusalem*. Paris : Éditions du Cerf, 1998.

Anonyme. *Le Petit Larousse illustré*. Paris : Larousse, 2001.

Anonyme. *Le temps qu'il faut...* Toronto : *Société canadienne du cancer*, 1985, rév. 2001.

Anonyme. *Questions and Answers about Pain Control : A Guide for People with Cancer and Their Families. American Cancer Society* et *The National Cancer Institute*.

Bartlett, John. *Bartlett's Familiar Quotations*, 16ᵉ édition. Boston : Little Brown and Company, 1992.

Berkow, Robert, M.D. *Manuel Merck de diagnostic et thérapeutique*, 2ᵉ édition française. Paris : Éditions d'Après, 1994.

Brett, Doris. *In the Constellation of the Crab*. Sydney, Australie : Hale & Ironmonger, 1996.

Buckman, Robert, M.D. *What You Rally Need to Know about Cancer*. Toronto : Key Porter, 1995.

Cotter, Arlene. *From This Moment On*. Toronto : Macmillan Canada, 1999..

Cousins, Norman. *The Healing Heart : Antidotes to Panic and Helplessness*. Boston : G.K. Hall, 1984.

Dollinger, Malin, M.D., Ernest H. Rosenbaum, M.D. et Greg Cable, adapté par l'Association médicale canadienne. *Everybody's Guide to Cancer Therapy*, édité par Richard Hasselback, M.D. Toronto : Somerville House Publishing, 1992.

Duerk, Judith. *The Circle Continues*. Philadelphie : Innisfree Press, Inc., 2001.

Gibran, Khalil. *Le Prophète*. Paris : Librio, 2001.

Hanh, Thich Nhat. *Be Still and Know*. New York : Riverhead Books, 1996.

Harpur, Tom. *Prayer : The Hidden Fire*. Kelowna : Northstone Publishing, 1998.

Holleb, Arthur I., M.D., éd. *The American Cancer Society Cancer Book*. Garden City : Doubleday & Co., 1986.

Housden, Roger. *ten poems to change your life*. New York : Harmony Books, 2001.

Hummel, Sherilynn J., M.D., Marie Lindquist et C. Scott McMillin. *If It Runs in Your Family : Ovarian and Uterine Cancer (Reducing Your Risk).* New York : Bantam Books, 1992.

Kushner, Harold S. *To Life!* New York : Warner Books, Inc. 1993.

Librach, S. Lawrence, en association avec la Société canadienne du cancer. *Le Manuel de la douleur : principes et problèmes de gestion de la douleur causée par le cancer.* Montréal : Pegasus Healthcare International, 1997.

Little, Jean. *The Stars Come Out Within.* Toronto : Viking Press. 1990.

Neruda, Pablo. *La Centaine d'amour.* Paris : Éditions Gallimard, 1995.

Nungusser, Lon G. *Notes on Living until We Say Goodbye.* New York : St. Martin's Press, 1988.

Miller, James E. *Winter Grief, Summer Grace.* Minneapolis : Augsburg Fortress, 1995.

Morra, Marion et Eve Potts. *Triumph : Getting Back to Normal when You Have Cancer.* New York : Avon Books, 1990.

Muller, Wayne. *How, Then, Shall We Live?* New York : Bantam Books, 1997.

Schover, Leslie R., Ph.D. *Sexuality and Cancer.* Publié par l'*American Cancer Society*, 1998.

Siegel, Bernie, M.D. *Défier la maladie : Un guide de vie, d'amour et de santé.* Montréal : Éditions Libre Expression, 1997.

Siegel, Bernie, M.D. *L'Amour, la médecine et les miracles.* Paris : Éditions Robert Laffont, 1989.

Sims, Diane et Maria Fletcher. *Gardens of Our Souls.* Toronto : Macmillan Canada, 1998.

Le Journal de l'Association médicale canadienne, juin 1998.

Site Web

www.ovariancanada.org (site de la *NOCA*, d'où a été tirée une grande partie de l'information présentée dans cet ouvrage. Un site très instructif).

À PROPOS DE DIANE SIMS

*D*iane Sims œuvre dans le domaine de l'écriture et de l'édition depuis plus de quinze ans. Elle a travaillé à la radio de Radio-Canada et a signé de nombreux articles dans divers journaux et magazines ontariens. Elle a écrit, de concert avec Maria Fletcher, *Gardens of our Souls*, un ouvrage publié chez *Macmillan Canada* et qui a été traduit en chinois et en japonais.

Elle a d'abord vécu avec la sclérose en plaques avant d'être frappée par le cancer des ovaires. Son unique sœur, Karen Ruppel, qui souffrait également de SP, a été emportée par le cancer en 1996. Bien que Diane soit fréquemment incommodée par les symptômes de la sclérose en plaques, son cancer n'est pas réapparu. Elle attribue en grande partie sa santé à l'amour et au soutien de son ex-mari, Robert Roth, à leur famille respective et à leurs nombreux et fidèles amis.

Diane vit dans le sud-ouest de l'Ontario, au Canada, avec ses deux «filles», Bizzie, un adorable berger allemand âgé de 14 ans, et Gracie, un coquin chaton d'un an qui était sans foyer et qu'elle a recueilli.

Elle a ri et pleuré en compilant les témoignages qui ponctuent cet ouvrage. Elle a «fait la connaissance» de tant de gens merveilleux à travers ces échanges de courriels. Voici le message qu'elle adresse à ces femmes, à leurs familles et à leurs amis : «Merci d'avoir partagé votre vie, votre douleur et votre joie avec moi. Puissiez-vous être bénis à jamais.»

À PROPOS DU DR JACK LAIDLAW

*J*ack Laidlaw est consultant auprès de *Action Cancer Ontario* (ACO), un organisme subventionné par l'État et qui est responsable du contrôle du cancer en Ontario. Il a déjà été directeur de la recherche et de l'éducation à l'*ACO* (1986-2000). Il est actuellement président du Conseil consultatif du *Bayer Institute for Health Care Communication*. Le mandat de l'institut est de promouvoir la communication entre les professionnels de la santé et les patients. De plus, il est cochercheur dans le cadre d'une étude portant sur une meilleure accessibilité aux soins anticancéreux pour les groupes ethnoculturels peu instruits, à faible revenu et allophones.